Mêl i Gyd?

Mair Wynn Hughes

GOMER

Argraffiad Cyntaf — 1989

ISBN 0 86383 545 7

ⓗ Mair Wynn Hughes 1989 ©

CBAC

Cyhoeddwyd dan nawdd Cynllun Llyfrau Darllen
Cyd-bwyllgor Addysg Cymru

NOF
HUG
m

Argraffwyd gan J. D. Lewis a'i Feibion Cyf.,
Gwasg Gomer, Llandysul, Dyfed

I
NIA

Dydd Mercher, Rhagfyr 7fed

Dyma ddiwrnod gorau mywyd i! Y fi, Gwenno Jones . . .
hefo wyneb crwn a gwallt brown, hefo brychni haul fel
dail Hydref ar fy nhrwyn . . . a phwtyn o gorff prin bum
troedfedd . . . i mi y gofynnodd Derec Wyn. Y fi sydd yn
mynd i barti'r Nadolig hefo fo. Meddyliwch!

Y fo ydi'r pishyn mwya anfarwol yn nosbarth pedwar.
Goliath o fachgen, gyda gwallt tywyll . . . a llygaid . . .
wel, fedra i mo'u disgrifio nhw'n iawn, . . . fel melfed
euraidd cynnes, am wn i. Does dim rhyfedd fod fy esgyrn
i'n troi'n jeli bob tro y meddylia i amdano.

Mae'r genethod i gyd ar ei ôl o. Rhai ohonyn nhw . . .
fel Gwen, yn 'i lyfu fo bron bob cyfle a gân nhw. Rhyw
edmygu o bell roeddwn i, a cheisio cuddio oddi wrth bawb
fy mod i bron â thorri mol o gariad. Ond mae o wedi sylwi
arna i o'r diwedd. A rŵan, rydw i'n cyfri'r dyddiau nes
daw noson y parti.

Mae gen i gymaint i'w wneud. Ys gwn i fedra i golli
pwys neu ddau yn ystod y pythefnos nesa 'ma? Jest digon
i ymwthio i'r sgert 'na brynais i hefo Mam fis Medi. Dydw
i wedi gwisgo fawr arni hi. Arna i mae'r bai. Mi daerais i
ddu yn wyn fod seis 10 yn union ffit yn y siop . . . jest am
bod Mam yn dweud ei bod hi'n rhy dynn, ac mi dynnais
fy mol i mewn fel randros hefyd i brofi mhwynt. A rŵan,
y fi fy hun sy'n diodda. Mae hi fel bwa constrictor. Yn
gwasgu'n dynnach a thynnach nes rydw i bron â threngi
bob tro rydw i'n trio'i gwisgo hi. Ond dydi wiw imi
ddweud wrth Mam. Mi fuasa'n fy lladd i am wastraffu
arian, heblaw na fuasai 'na ddim diwedd ar y 'mi ddeudais
i wrthyt ti' tragwyddol.

A sôn am Mam. Roedd Dad yn gweithio'n hwyr eto
heno, a Mam fel gwenynen bigog uwch fy mhen i. Pigog

ydi hi, gan fwya, yn ddiweddar hefyd. Efallai mai'i hoed hi ydi o. Mae merched yn cael pyliau rhyfedd yn y 'change', medda Gwawr. Mae *hi'n* siarad o brofiad. Tymer ei mam fel ioio a'i hwyneb hi'n fflamgoch, a gwyn fel eira bob yn ail. Tipyn o faich ydi bod yn ddynes rhwng popeth.

Os mai dyna sydd ar Mam, rydw i am ei chynghori hi i fynd at Doctor Rees a gofyn am therapi HRT. Mae hwnnw'n cyflawni gwyrthiau, meddan nhw. Merched America'n gwirioni amdano fo . . . yn ogystal â hefo'u 'facelifts' a'u 'booblifts' a phethau felly. Nid bod Mam angen rheiny chwaith. A chysidro'i hoed hi . . . pedwar deg, medda *hi* ond mae 'i thystysgrif geni hi'n dweud pedwar deg dau . . . mi ddois i ar ei thraws yn ddistaw bach y diwrnod o'r blaen. Er hynny, mae'i chorff hi'n ddigon siapus.

Ond ble roeddwn i hefyd? O, ia. Dweud fod Mam fel gwenynen bigog uwch fy mhen i. Wel, mi neidiodd i lawr fy nghorn gwddf i pan gefais i dipyn o sgarmes hefo Llŷr.

'Roedd Gwenno'n smocio ar y bws ysgol,' medda fo, 'Mi'i gwelis i hi o'r palmant.'

Mi sbïodd Mam fel bwbach arna i ac agor ei cheg i ffrwydro.

'Celwydd pob gair,' meddwn inna a'm llaw ar fy nghalon. 'Trio nghael i i drwbwl ma'r cena bach.'

Mi groesais i fy mysedd wrth ddweud, achos mi fydda i'n cael rhyw bwff bach bob yn hyn a hyn. Dim o ddifri chwaith, gan ei fod o'n ddrwg i'ch iechyd chi.

'Yli, Llŷr, rhaid iti beidio â dweud celwydd,' rhybudd-iodd Mam.

'Dydw i ddim. Mi'i gwelis i hi,' medda'r cena bach eto.

Mi deimlais i fy nhymer yn codi'n syth. Codi fydd fy nhymer i hefo Llŷr bob amser, a dweud y gwir. Wel, mi roddais i andros o gic iddo fo o dan y bwrdd am iddo fod yn hen snichyn cegog, ac, wrth gwrs, mi aeth pethau dipyn yn flêr. Mi dynnodd yntau fy ngwallt i nes roedd fy nagrau'n neidio, ac mi roddais inna ddwbl gic yn ôl.

A dyna'r funud y ffrwydrodd Mam o ddifri. Mi ddechreuodd baldaruo fod digon i'w ddiodda yn y tŷ 'ma heb i ni gambyhafio hefyd. Roedd un poen yn ddigon, a phethau felly. Wn i ddim am beth roedd hi'n sôn chwaith. Mae bywyd yn reit undonog yn ein tŷ ni . . . ond pan fydd Nain Tawelfa'n dŵad i aros.

Ddaru Mam a hithau rioed gyd-dynnu. Naill yn gweld bai ar y llall o hyd, a'r ddwy yn mynnu wrth Dad nad oes iotyn o fai arnyn nhw.

Ond wna i ddim sôn am hynny rŵan. Mae gen i bethau pwysicach i feddwl amdanyn nhw. Ys gwn i fedra i deneuo digon i wisgo'r sgert 'na . . . ?

Dydd Sadwrn, Rhagfyr 10fed

Dydw i ddim wedi sgwennu gair ers dyddiau. Wedi bod yn rhy brysur. Wedi cael benthyg beic ymarfer gan fam Siw . . . ac mi rydw i'n pedlo a phedlo arno fo bob nos nes rydw i'n chwys domen. Rydw i'n benderfynol o gael gwisgo'r sgert 'na . . . a does ond pythefnos i fynd.

Dydi bechgyn ddim yn werth y fath aberth, medda Siw. Dim ond pac o drwbl o'r dydd y'u genir nhw. Ac mi greda i hynny hefyd, yn enwedig wrth imi feddwl am Llŷr. Ond mae brodyr yn wahanol, yn tydyn?

Mi fûm i'n effro am oriau neithiwr. Jest gorwedd o dan y dillad a breuddwydio. Fy nychmygu fy hun yn cyrraedd y parti ac yn llithro'n secsi i ddawnsio yn fy sgert ddu . . . a honno'n ffitio fel blwch. Dychmygu gweld y bechgyn yn tyrru'n griw edmygus o nghwmpas i, a Derec Wyn yn estyn ei fraich yn gariadus er mwyn dangos i bawb mai hefo fo roeddwn i. Pethau braf ydi breuddwydion!

Mae Gwen wedi deall fy mod i'n mynd hefo Derec Wyn i'r parti, ac wedi sorri'n bwt. Ddaru hi ddim siarad gair hefo mi ddoe. Pa ots?

9

Fydda i ddim yn trafferthu taflu golwg ar y papur dydd Sul fel arfer, ond mi wnes i heddiw. Wn i ddim pam.

Mae 'na le ofnadwy yn y byd 'ma. Plant bach yn llwgu yn y gwledydd pell. Rydw i am roi'r gorau i fwyta cig am wythnos . . . o gywilydd, tê? Ond diffyg trefn ydi'r cyfan, medda Dad. Gwrthryfela sydd yno . . . a phobl yn dial ar ei gilydd. A wnaiff peidio â bwyta cig ddim mymryn o wahaniaeth, medda fo.

Ond ffiaidd o beth ydi gweld pobl yn stwffio bwyta, a chofio'r darluniau ofnadwy 'na yn y papur. Fedrwn i ddim meddwl am frechdanau biff i swper. Ond mi gliriodd Llŷr hynny oedd ar y plât. Mae 'i stumog o fel bin sbwriel.

Mi es i i'r llofft yn syth wedyn gan feddwl pedlo'r beic ymarfer. Ond rywsut roedd y darluniau 'na o flaen fy llygaid o hyd, ac roedd hyd yn oed meddwl am Derec Wyn wedi colli ychydig o'i swyn. Synnwn i ddim na sgwenna i lythyr reit hallt i'r papur newydd . . . pan fydda i wedi hel fy meddyliau at ei gilydd.

Dydi pobl ddim yn meddwl digon am bobl eraill yn y byd 'ma. Petaswn i'n brifweinidog, mi fuaswn i'n deddfu fod yn rhaid i bawb roi traean o'i gyflog i'r tlodion . . . wel, pawb cyfoethog, beth bynnag. Ond erbyn meddwl, mae'n siŵr fod gan y cyfoethog gymaint o afael yn eu miliynau ag sydd gen i o fy neugain punt yn fy llyfr post. Mwya casglwch chi, mwya'r gafael ynddyn nhw, debyg. Ond petaswn i'n filiynydd, mi fuaswn i'n rhannu nghyfoeth rhwng achosion da.

Gwenno Jones, y miliynydd enwog . . . enillydd Gwobr Heddwch Nobel am ei gwaith i dlodion y byd. Fy llun i yn y papur ac ar y teledu . . . yn cyrraedd yr Hilton yn fy nghôt ffwr ffug (fuaswn i byth yn meddwl am wisgo ffwr iawn, er bod gen i ddigon o bres i brynu dwsinau ohonyn

nhw) a llu o bobl camerâu yn baglu ar draws ei gilydd wrth
fy sodlau.

'Gad lonydd iddyn nhw, Gwenno,' medda Dad pan
ddaru mi sôn wrtho fo am annhegwch pethau. 'Fedri di na
fi mo'u newid nhw. Paid â rwdlan dy ben hefo pethau na
fedri di mo'u dallt.'

Roeddwn i ar fin ei daclo fo am ddweud ffasiwn beth,
pan ddechreuodd ymryson dartiau ar y teledu, a doedd
waeth imi anghofio am faterion mawr y byd ddim. Roedd
Dad â'i drwyn ynghlwm wrth y sgrîn, ac yno y byddai
hefyd nes i'r ornest orffen.

Dydd Llun, Rhagfyr 12fed

Dim ysgol heddiw. Yr athrawon yn siopio Nadolig. Wn i
ddim pam na wnân nhw siopio ar ddydd Sadwrn fel pawb
arall. Chodais i ddim i frecwast er i Mam weiddi fel seiren
ambiwlans yng ngwaelod y grisiau. Rhaid iddi hi gymryd
gofal o'i llais, a hithau'n perthyn i'r côr Nadolig . . . ac yn
canu solo yn y cyngerdd hefyd.

Ond eisio mynd i'w gwaith oedd arni hi, wrth gwrs, ac
yn gweld cyfle i beidio â golchi'r llestri cyn mynd. Fedr hi
ddim diodda dŵad adra a gweld llestri budron. Diolch
byth nad oedd diwrnod gwyliau gan Llŷr, neu mi fuasai o
dan fy nhraed i trwy'r dydd.

Heblaw fy mod i wedi rhoi'r gorau i fwyta cig, roeddwn
i wedi penderfynu rhoi masg prydferthwch ar fy wyneb.
Meddwl nad oedd hi ddim yn rhy fuan i baratoi erbyn y
parti, tê? Roeddwn i wedi'i brynu fo yn Boots ddydd
Sadwrn, ac wedi'i guddio fo yn nrôr fy mwrdd gwisgo yn
y llofft. Roedd Siw wedi gaddo dŵad yma i ddarllen y cyf-
arwyddiadau'n iawn, rhag ofn imi wneud camgymeriad
wrth ei roi o . . . a finnau ddim wedi arfer.

Heblaw hynny, mi ddylwn i wisgo sbectol. Mae print
bach fel niwl o flaen fy llygaid i, a dydw i ddim yn sicr gant
y cant o brint mwy chwaith.

Mae gen i ofn yn fy nghalon i neb ddarganfod. Fuaswn i ddim yn medru *diodda* gwisgo sbectol. Mi fuaswn i'n *marw* o embaras, yn enwedig rŵan, a Derec Wyn wedi dangos diddordeb.

Wel, i dorri'r stori'n fyr. Mi gyrhaeddodd Siw yn fuan ar ôl cinio. Roeddwn i wedi golchi'r llestri, ac wedi rhoi hwfer a chwifio cadach llwch i gyfeiriad y dodrefn yn syth ar ôl codi, er mwyn inni gael y pnawn yn rhydd i roi'r masg.

Sôn am strach. Rhyw bowdwr gwyn oedd o, ac angen ei gymysgu hefo dŵr. Roeddwn i wedi clymu fy ngwallt yn gynffon ceffyl ar dop fy mhen, ac wedi chwilio am hen dywel o'r cwpwrdd silindr.

'Darllan o, wnei di?' meddwn i wrth Siw wedi imi roi'r powdwr mewn powlen, achos fedrwn i ddim hyd yn oed ddarllen faint o ddŵr oedd ei angen.

Wel, mi gymysgais i o yn ôl y cyfarwyddiadau . . . fel roedd Siw yn 'u darllen nhw, ac wedyn mi daenais i'r cyfan ar fy wyneb. Roeddwn i'n edrych fel drychiolaeth, ac mi roedd Siw yn glana chwerthin, yn enwedig gan fod y stwff wedi troi'n lliw gwyrdd cyfoglyd wedi imi ychwanegu'r dŵr!

Roedd angen disgwyl chwarter awr iddo fo gael effaith.

'Rhaid iti orwedd i lawr hefo dau fag te, neu ddwy sleisen o gucumer ar dy lygaid,' medda Siw gan lygadu'r cyfarwyddiadau.

'Rioed!' meddwn inna'n syn.

Mae'n ddigon ichi roi te a chucumer yn eich bol heb sôn am eu defnyddio i'ch harddu eich hun hefyd. Ond gan mai dyna oedd y cyfarwyddyd, a chan nad oedd 'na gucumer yn y tŷ, mi wasgais i ddau fag te o dan y tap dŵr oer a gorwedd yn rêl Ledi Jên ar y soffa.

'Dydi wiw gadael iddo fo gracio,' medda Siw gyda rhyw sŵn od yn 'i llais hi. 'Chei di ddim gwenu na siarad.'

Fedrwn i ddim gweld beth oedd yn bod arni o achos y

bagiau te. Ond mi gymerais i'i gair hi, a gorwedd fel pe buaswn i'n gorff. Roedd popeth yn mynd yn ardderchog . . . a finna'n clywed y masg yn sychu'n araf pan ganodd y ffôn.

'Paid â symud,' medda Siw. 'Mi ateba i o.'

Roeddwn i'n glustiau i gyd. Mae o'n beth od, ond rydw i wedi'i brofi fo ganwaith. Pan mae'ch llygaid chi ynghau mae'ch clustiau chi'n gweithio'n well o lawer. Ac mi ddeallais i ar unwaith mai Mam oedd 'na.

'Fedra i ddim galw arni hi rŵan hyn,' medda Siw. 'Ga i gymryd neges?'

Wel, roedd hynny fel dangos cadach coch i darw gorffwyll. Mi feddyliodd Mam fod 'na fistimanars yn mynd ymlaen yn syth, a dyma hi'n dechrau holi a stilio eisio gwybod yn union ble roeddwn i.

'Yn y toiled,' medda Siw.

Un dda ydi hi am ddweud celwydd.

'Mi ddisgwylia i nes y daw hi o'no,' medda Mam.

'Wn i ddim pa bryd y bydd hi wedi gorffen,' medda Siw . . . gan ddechrau colli arni'i hun braidd erbyn hyn.

Mi wyddwn i'n syth fod yn well imi siarad trosof fy hun, neu fyddai 'na ddim bodloni ar Mam. Mi driais i godi oddi ar y soffa a thynnu'r bagiau te, ond am ryw reswm, roedden nhw wedi glynu yn y masg, a fedrwn i yn fy myw 'u tynnu nhw. Ac wrth drio gwneud . . . a phalfalu fy ffordd am y ffôn run pryd, mi faglais ar draws coes y gadair nes yr oeddwn i'n lleden.

'Be' di'r twrw 'na?' gwaeddodd Mam.

'Gwenno'n dŵad i lawr y grisiau,' medda Siw. 'Daliwch y lein.'

Wel, mi aeth pethau o ddrwg i waeth. Mi dynnais i'r bagiau te, ond erbyn hyn roedd gweddill y masg wedi caledu fel haearn, a fedrwn i ddwedud dim wrth Mam ond 'Oo' ac 'Aa'.

'Beth sy'n bod arnat ti?' holodd Mam yn reit dymherus.

Mi gipiodd Siw y ffôn o'm llaw i.

'Ddannodd, Mrs. Jones,' medda hi. 'Wedi'i tharo hi wrth iddi ddŵad i lawr y grisiau.'

Roedd Mam yn sgyrnygu'i dannedd bron erbyn hyn, ac oni bai ei bod hi'n ysgrifenyddes bersonol i feistr y cwmni, a bod 'na gyfarfod arbennig ymhen ychydig funudau, mi fuasai wedi dŵad adra'n syth.

'Rydw i wedi anghofio tynnu cig o'r oergell,' medda hi'n bur finiog. 'Siawns nad oes gormod o ddannodd gan Gwenno i fwyta asen fras heno.'

A dyma hi'n rhoi'r ffôn i lawr. Roeddwn i yn fy nyblau erbyn hyn . . . nid o chwerthin, ond o boen. Yn bendant, mi roedd gen i glais cymaint â Chefnfor Iwerydd ar fy nghoes, ond yn waeth byth, roedd y masg wedi sadio'n galed ar fy wyneb i.

'Ooo! Rwyt ti wedi'i adael o tros hanner awr,' sgrechiodd Siw. 'Fydd gen ti ddim croen ar dy wyneb, y lembo!'

Erbyn i Llŷr gyrraedd adra, roeddwn i'n dechrau dŵad ataf fy hun, er fy mod i'n edrych fel petasai gen i wres o gant a phump.

'Esgob! Be sy ar dy wynab di?' gofynnodd Llŷr.

'Meindia dy fusnas,' oedd yr unig ateb fedrwn i'i roi iddo fo.

Wrth gwrs, chymerais i ddim o'r asen fras i swper. Wel, mi rydw i wedi rhoi'r gorau i gig am yr wythnos yma, on'd ydw?

Dydd Mawrth, Rhagfyr 13eg

Rydw i bron yn siŵr fod llai o frychni haul ar fy wyneb i. Mi fedra i weld yn well wedi i'r cochni glirio. Wn i ddim wna i fentro masg arall chwaith.

Dydd Mercher, Rhagfyr 14eg

Choeliai neb fyth! Mae Mam wedi trefnu imi weld y deintydd fory. Yr wyneb coch 'na ddim yn naturiol, medda hi. Ofn fod gen i gasgliad yng ngwraidd un o'm dannedd, a heb fod eisio miri yn rhy agos at y Nadolig.

Roedd hi'n sbïo'n gam ofnadwy ar Dad neithiwr . . . am ei fod o wedi gweithio'n hwyr eto. Llond gwlad o archebion cyn y Nadolig, medda fo. Ond rhyw olwg ddim yn coelio oedd ar Mam. Ydi o rioed yn dweud celwydd?

Mi aeth Mam i fyny'r wal bron wrth ei weld o mor hwyr a hithau hefo practis côr am hanner awr wedi saith. Ac fe neidiodd i'w chôt a gafael yn ei bag llaw cyn gynted ag y clywodd hi sŵn y car tu allan, a chafodd Dad druan ddim ond rhoi'i droed tros y gorddrws, a phrin ddechrau ar ei eglurhad, nad oedd hi wedi cipio goriadau'r car ac wedi diflannu fel corwynt trwy'r drws.

Mi rois i dipyn o fraw i mi fy hun wrth ddyfalu tybed fuo fo'n hel diod ar y ffordd adra, yn enwedig a finna wedi darllen erthygl am yr union beth yn y papur newydd yr wythnos diwetha. Dynion busnes yn methu â dal y straen, medda hwnnw, ac yn troi at y botel i ymlacio. Wel, doeddwn i ddim yn licio meddwl fod Dad ar drothwy bod yn alcoholig, achos os oedd o, roedd yn hen bryd gwneud rhywbeth ynghylch y peth. Felly, i ladd fy amheuon, mi safais i'n reit agos ato fo wrth estyn ei swper er mwyn imi gael sniffian yn gry o'i gwmpas.

'Cael annwyd, Gwenno?' gofynnodd Dad. 'Cymra ffisig rhag ofn iti fod yn sâl tros y Nadolig.'

Ond er imi drio, fedrwn i ddim arogli dim byd amheus, dim hyd yn oed arogl mint. Mae hwnnw'n achwyn y gwir bob amser, medda Siw. Ond mi gadwa i'n llygaid arno fo o hyn ymlaen . . . jest rhag ofn. Mae eisio *rhywun* hefo penderfyniad yn y tŷ 'ma.

Fedrwn i ddim diodda tad yn meddwi. Mae tad Gwen yn gwneud hynny weithia, ac yn curo'i mam, meddan nhw. Ond, wrth gwrs, fuasai Dad byth yn gwneud peth felly. Fydd 'na byth ffraeo yn ein tŷ ni. Ddim ond pan

15

fydd Nain Tawelfa'n dŵad i aros. Ac mae hi'n dŵad tros
y Nadolig. Mi fydd yn rhyfel cartref yma!

Dydd Iau, Rhagfyr 15fed

Roeddwn i yn syrjeri'r deintydd erbyn naw. Rhys ap
Dafydd ydi'i enw fo. Dyn tal a chrop anferth o wallt coch
cyrliog ganddo, a locsyn yr un mor goch a chyrliog yn
cuddio'i wyneb.

'Hylo, Gwenno, a beth sy'n dy boeni di heddiw?' oedd
ei gwestiwn cynta wrth balfalu ymysg y trugareddau trin
dannedd.

Wel, fedrwn i ddim ateb 'dim byd', fedrwn i, a Mam
wedi'i ffonio'n arbennig?

'Y . . . y . . . twtsh o'r ddannodd gefais i'r diwrnod o'r
blaen,' meddwn i.

Y funud nesaf, roeddwn i'n fflat ar fy nghefn yn y gadair
'codi a gostwng' ac yn sbïo i fyny ar 'i locsyn o. Fel arfer,
mi fydda i'n cau fy llygaid rhag imi weld beth sy'n dŵad
i fy rhan i nesaf. Does dim angen achosi poen meddwl i chi
eich hun heb angen, yn nac oes? Ond heddiw, am ryw
reswm, mi adewais i'n llygaid yn agored.

'Mmm! Fedra i weld dim byd,' medda fo gan bigo yma
ac acw rhwng fy nannedd.

'Ooo! Aaaa!' oedd fy unig ateb.

Doedd dim modd imi ddweud dim arall ac yntau'n
mynnu gadael 'i ddrych bach crwn yn fy ngheg i nes roedd
y poer yn llifo.

Ond doedd o ddim yn fodlon cymryd fy ngair, ac mi
ddechreuodd balfalu yn fy ngheg i wedyn. Mae ganddo fo
ddannedd mân mân a gwefusau pinc, ac mae'i locsyn o'n
edrych yn bigog ofnadwy reit o flaen eich llygaid chi
fel'na. Rydw i'n meddwl mai cosb, nid pleser, fuasai
cusan rhywun hefo locsyn. Gobeithio na wnaiff Derec
Wyn byth dyfu un.

Roedd yna borc i swper. Llysiau yn unig gefais i.

16

Dydd Gwener, Rhagyfr 16eg

Mi arhosodd Derec Wyn i siarad hefo mi yn y coridor heddiw. Roeddwn i'n dechrau poeni braidd iddo anghofio ei fod o wedi gofyn imi fynd i'r parti. Wel, doedd o wedi dweud dim ond 'Hylo' wrtha i ers dyddiau. Ond mae popeth yn iawn rŵan.

'Wyt ti'n cofio am y parti?' oedd ei eiriau o.

Mi aeth ton o wrid tros fy nghorff i'n syth! Roedd pawb yn y coridor yn glustiau syfrdan, a'r bechgyn yn pwnio'i gilydd a gweiddi 'Dêt! Dêt!' ac yn smalio cofleidio'r naill a'r llall. Fedra i ddim diodda bechgyn yn un grŵp cyffredinol . . . dim ond un arbennig . . . Derec Wyn.

Dydi Gwen ddim yn sbïo arna i o gwbl rŵan. Dydw i ddim wedi gwneud dim byd iddi hi. Nid y hi sydd piau Derec Wyn.

Chilli con carne oedd i swper. Llysiau gefais i.

Dydd Sadwrn, Rhagfyr 17eg

Mi gaf i fwyta cig fory. Rydw i'n synnu ataf fy hun. Nid am fy mod i am fwyta cig fory, ond am imi atal am wythnos gyfan. Wyddwn i ddim fod gen i gymaint o hunanddisgyblaeth. Ond dyna ddangos ichi, . . . wyddoch chi ddim be fedrwch chi'i wneud nes yr ydych chi'n trio.

Mi roddais i bractis sbesial ar y beic ymarfer y bore 'ma. Synnwn i ddim nad ydw i'n deneuach . . . a finna heb fwyta cig ers wythnos ac wedi defnyddio'r beic nes rydw i wedi syrffedu. Doedd dim rhyfedd fod mam Siw wedi'i daflu fo ata i bron. Wedi syrffedu roedd hithau.

Mi aeth Siw a minnau i'r dre yn y pnawn. Mae Siw yn lwcus. Wedi cael pum punt gan ei nain. Mae bywyd yn fy erbyn i'n wastad. Chefais i rioed fwy na phunt gan Nain Tawelfa. Na, pan mae hi'n dŵad i aros mae hi'n cario'i bag llaw hefo hi i bobman . . . hyd yn oed i'r toiled! Ac yn 'i wasgu fo o dan ei chesail fel pe buasai trysor Fort Knox ynddo fo hefyd.

17

Ond i ddŵad yn ôl at Siw a'i lwc. Nid un lwc, ond dwy gafodd hi. Roedd hi am gael tyllau yn ei chlustiau yn anrheg Nadolig gan ei rhieni, ac eisio i mi fynd hefo hi i ddal ei llaw trwy'r driniaeth, ac i ddewis clustdlysau wedyn.

Mi'i rhybuddiais i hi fod yna lot o bethau i'w hystyried cyn cymryd y fath gam.

'Be, y lembo?'

'Wyt ti'n siŵr o dy grŵp gwaed i ddechrau, rhag ofn i ryw anffawd ddigwydd? Efallai mai landio yn yr ysbyty wnei di, a chael dy ruthro i'r theatr i achub dy fywyd.'

'Taw, y lolyn.'

'A dyna iti Aids. Be wyddost ti ar bwy maen nhw wedi defnyddio'r nodwydd o dy flaen di, a sut gyflwr roedden nhw ynddo. Mae Wncl Sam yn cau'n glir â mynd at y deintydd rhag ofn iddo gael nodwydd heb ei diheintio. Ac mae o wedi colli hanner dant o'r ffrynt ers talwm . . . ac wedi bod yn was priodas y mis diwetha. Mi fuo'n rhaid iddo fo wenu heb ddangos ei ddannedd ymhob un o'r lluniau.'

'Dydi Aids ddim i'w gael oddi wrth betha fel'na, yr het! Rhaid iti gael cyfathrach rywiol neu ddefnyddio cyffuriau. Mi ddeudodd Miss Jôs Bioleg.'

'Wel, mi fuaswn i'n fy niogelu fy hun, a mynnu iddyn nhw ddefnyddio nodwyddau newydd. Fedri di ddim bod yn rhy ofalus.'

Ond mynnu mynd ddaru Siw, ac, wrth gwrs, mi es i hefo hi i ofalu am chwarae teg. Ac yn ddistaw bach, roeddwn innau ar dân eisio tyllau yn fy nghlustiau hefyd, ond bod Mam wedi dweud fod pedair ar ddeg yn ddigon buan i sôn am beth felly . . . ac mae gen i ddeufis i fynd. Dydi Mam rioed wedi trio symud hefo'r oes. Rydw i wedi dweud wrthi hi droeon.

Mi aeth Siw yn ddigon llwyd pan welodd hi'r ddynes yn agor y pecyn nodwyddau . . . er eu bod nhw'n rhai newydd sbon. Un wael am weld gwaed fuo hi rioed. Mi lewygith cyn ichi droi rownd bron. A phan welodd hi'r nodwydd yn nesáu at ei chlust, dyma hi'n rhoi sgrech fach od ac yn dechrau gwasgu ... a gwasgu mysedd i nes roedd hynny o waed oedd ynddyn nhw wedi'i orfodi'n ôl at fy nghalon. Doedd gen innau fawr o awydd sbïo ar y driniaeth chwaith, ond wnes i ddim dangos hynny i Siw.

Roedd Siw yn dipyn o gawres yn dŵad allan o'r siop. Nid pawb fuasai'n medru dal y boen, medda hi. Roedd ateb pur finiog ar flaen fy nhafod i, ond mi ailgysidrais er mwyn tawelwch. Ffrind ydi ffrind, yntê?

Mi anelon ni'n dwy am Wimpy wedyn. Meddwl y buasen ni'n cael hambyrger rôl i ddŵad atyn ein hunain. Roedden ni *yn* pasio'r ffenest pan ddigwyddais i sbïo i mewn, ac mi saethodd diffyg nerth i fy nghoesau'n syth.

'Derec Wyn,' meddwn i mewn llais bron â threngi. 'Be' wna i?'

'Bwyta llond dy fol fel arfar,' medda Siw heb ronyn o gydymdeimlad.

'Ond ... ond ... beth petasa fo'n meddwl mod i'n 'i ddilyn o?'

'Mi chwyddith 'i ben o'n waeth na mae o.'

A dyma hi'n agor y drws ... ac i mewn. Wel, wyddwn i ddim prun ai i'w dilyn hi a cheisio sleifio'n slei i fwrdd congl go snêc, ta cerdded i mewn fel pe buasai piau fi'r lle wnawn i.

Ond erbyn hyn mi roedd fy stumog i'n dechrau rowlio wrth feddwl am yr hambyrgyr rôl, ac mi roeddwn i'n haeddu tamaid bach i gryfhau wedi bod trwy'r ffasiwn stryffâg hefo Siw, felly i mewn â mi wrth ei sodlau hi.

Mi driais i beidio â sbïo i gyfeiriad Derec Wyn, ond roedd fel pe buasai 'na fagnet yn tynnu fy llygaid ato. Ac roedd o'n sbïo'n syth arna i.

'Gwenno!' medda fo. 'Hiya!'

'Hiya!' meddwn inna mewn llais fel crawcian brân.

'Tyrd i eista i fa'ma wedyn,' medda fo.

Mi garlamais i fel cwningen wyllt at Siw a gafael yn gelen yn ei braich hi.

'Mae o eisio inni fynd at eu bwrdd nhw. Y fo a Prysor Jâms. Be wnawn ni?'

'Fawr o ots gen i,' medda Siw.

Ond mi roedd rhyw hanner gwên ar ei hwyneb hi wrth ateb. Efalla 'i bod hi'n meddwl y buasai Prysor yn gofyn am ddêt. Yn enwedig â hithau'n meddwl ei hun hefo'r tyllau yn ei chlustiau.

Wel, diwedd y gân oedd ein bod ni'n dwy wedi mynd atyn nhw ac wedi treulio'r gweddill o'r pnawn hefo nhw hefyd. Mi welson ni Gwen ar y stryd . . . ac mi aeth ei hwyneb hi fel lemon pan welodd hi ni'n pedwar.

Mi soniodd Derec Wyn a Prysor am fynd am goffi arall cyn mynd adra. Hynny ydi, wedi inni gerdded dow-dow ac edmygu'r trimins a'r goleuadau Nadolig yn y stryd fawr. Ond roedd Siw a minnau wedi gaddo'n bendant y buasen ni'n dal y bws hanner awr wedi pump, felly gwrthod fuo'n rhaid inni, er y buasen ni'n rhoi *rhywbeth* am gael aros. Fel'na mae rhieni, yn rhoi amodau ar bopeth ydych chi'n 'i wneud.

Newydd sylweddoli . . . *RYDW I WEDI BWYTA HAMBYRGYR! CIG! HELP!*

Dydd Sul, Rhagfyr 18fed

Bore Sul! Doeddwn i ddim wedi meddwl sgrifennu gair tan heno. Ond chysgais i fawr ddim neithiwr. Meddwl amdanaf fy hun yn rhannu bwrdd hefo Derec Wyn . . . ac yn gorfod gwrthod mynd am goffi wedyn. Colli cyfle ar-dderchog i ddyfnhau'r berthynas. Ys gwn i fuasai Mam wedi colli'i limpin petaswn i wedi colli'r bws hanner awr wedi pump? Wedi gwneud esgus!

Ond un dda am weld trwy esgusion ydi Mam. Dad rŵan. Wel, mae o'n fwy calonfeddal.

Roedd hwyl reit dda ar y ddau neithiwr. Mi aethon nhw allan i swper a'm gadael i warchod Llŷr ar fy mhen fy hun. Roedd o'n gwylio ffilm ofod ar y teledu, felly mi es innau i chwarae recordiau yn y llofft . . . ac i feddwl am Derec Wyn run pryd.

Mi orweddais i ar fy ngwely a'm dychmygu fy hun yn un o'r modelau rheiny fydd ar y teledu weithiau. Yn sleifio cerdded un droed heibio i'r llall, ac yn gogwyddo nghorff o'r chwith i'r dde yn secsi. Y fi fuasai'r fodel flaenaf . . . gyda'm llun ar glawr pob cylchgrawn sglein drud. Mi fuaswn i'n camu ar awyren yn union fel petaswn i'n dal y bws yng ngwaelod y stryd, ac yn meddwl dim am fynd i Seland Newydd heddiw ac Awstria fory. Mi fuasai dynion cyfoethocaf y byd ar fy ôl i, i gyd eisio mynd â mi i ginio a phrynu tlysau drudfawr imi. Ond mi fuasai fy nghalon i gyda nghariad cyntaf o hyd . . . hen gariad ysgol, ac mi fuaswn i'n rhoi'r cyfan heibio i'w briodi fo. Priodas fawr a minnau mewn ffrog wen laes a chynffon hir ganddi . . . a rhes o forynion bach yn ei gludo o'r tu ôl imi. A Siw yn brif forwyn mewn ffrog las dywyll am fod hynny'n edrych yn neis hefo gwallt melyn. Ond y fi fuasai'n brydferthaf o ddigon. Ac mi fuaswn i'n cerdded yn urddasol at yr allor heb glywed 'Ooo' ac Aaas' y gynull-eidfa am fod Derec Wyn yn fy nisgwyl i . . .

Chefais i fawr o amser i freuddwydio wedyn . . . wedi imi dreulio hanner awr yn ceisio cyfrif y brychni felltith sydd gen i ar fy nhrwyn, ac yn gwasgu sudd lemon i soser wedyn a'i rwbio hyd-ddyn nhw am fod Gwawr yn dweud iddi weld y cyngor mewn cylchgrawn yr wythnos diwethaf.

Mi ddaeth Dad a Mam yn ôl tua hanner awr wedi deg, ac mi es innau i ben y grisiau i ddweud fy mod i am fynd i fy ngwely. Sôn am sioc! Dyna lle'r oedd y ddau'n cusanu fel randros yn y lobi. Ych! Roeddwn i'n credu eu bod nhw wedi rhoi'r gorau i ymddwyn fel'na ers blynyddoedd.

21

Fedra i yn fy myw feddwl ei fod o'n naturiol mewn pobl o'u hoedran nhw rywsut . . . yn enwedig a hwythau wedi priodi!

Roeddwn i wedi cael tipyn bach o sioc, ac mi fuo bron imi ag anghofio pedlo'r beic ymarfer y peth diwethaf cyn cysgu. Ond penderfynu rhoi problemau fy rhieni o'r neilltu wnes i, ac ymroddi iddi i golli pwysau. Seis 10, nid seis 12 amdani! A does ond ychydig ddyddiau cyn y noson fawr!

Mi gefais i gig oen i ginio . . . pum sleisen. A soniais i ddim gair am yr hambyrgyr ddoe.

Dydd Llun, Rhagfyr 19eg
Dim ond tri diwrnod o ysgol eto. Fawr werth mynd yno o gwbl, a dweud y gwir. Ond eto, fuaswn i ddim wedi aros gartra chwaith, a cholli gweld Derec Wyn.

Nos Wener mae'r parti. Yn nhŷ Iori Owen. Rydw i'n dechrau poeni braidd wrth feddwl am fynd iddo. Nid am y parti cymaint, ond am sut i ymddwyn hefo Derec Wyn.

Mi fuo bron imi â gofyn i Mam. Ond wedi ystyried, mi benderfynais ei bod *hi* braidd yn hen i gofio'i dêt cyntaf, ac nad oedd 'na fawr o iws imi ofyn ei chyngor rhag ofn imi gael pregeth.

Roedd hi wedi sbïo'n ddigon cam arna i pan ddeudais i mai hefo Derec Wyn roeddwn i'n mynd.

'A ble ma'r Derec Wyn 'ma'n byw?' medda hi, 'a be ma'i dad o'n 'i wneud?'

Wel! Dydi rhieni'n bethau rhyfedd? Pa ots be 'di gwaith tad Derec Wyn, yntê? Ddim hefo hwnnw rydw i'n mynd i'r parti.

'Ddylet ti ddim bod wedi gaddo cyn gofyn i dy dad a minna,' medda hi wedyn. 'Rwyt ti'n rhy ifanc i fynd allan hefo hogia.'

Roeddwn i'n berwi tu mewn. Mae Gwawr yn cael mynd allan faint a fynno hi, ac yn cael aros allan yn hwyr hefyd, a dydi'i rhieni *hi'n* dweud dim! Ond fel'na mae Mam a nhad. Yn fy nhrin i fel babi mewn clwt o hyd.

'Myrddin! Glywaist ti!' gwaeddodd Mam wedyn gan roi'i phen rownd drws y lobi.

Rhyw rochian o dan ei wynt ddaru Dad wrth wisgo'i gôt a chychwyn am ei waith. Fydd byth hwyl dda arno fo yn y bore, yn enwedig yn ddiweddar. Fel pe buasai'i feddwl o mhell bell.

'Yyyy?'

'Gwenno 'ma. Am fynd hefo rhyw hogyn i barti, heb hyd yn oed ofyn caniatâd.'

Ac mi fuo'n rhaid i'r twpsyn Llŷr 'na gael rhoi'i big i mewn, a dechrau canu ar dop ei lais.

'Mae Gwenno ni mewn car-iad! Mae Gwenno ni mewn car-iad!'

Wel, mi aeth fy wyneb fel tomato, a phetaswn i wedi cael gafael ar y cena bach fuasai o ddim wedi medru dweud gair o heddiw tan y Nadolig.

Ond mi drodd Mam arno fo'n reit chwyrn chwarae teg iddi.

'Dos am yr ysgol, Llŷr, a dim rhagor o'r pryfocio 'ma.'

Roedd yn dda mai yn y bore y soniais i am y peth gan fod y ddau ar ormod o frys yn cychwyn i'w gwaith i ddechrau holi o ddifri. Efallai y byddan nhw wedi rheoli'u teimladau erbyn heno.

'Mi gaiff dy dad siarad hefo ti,' oedd ergyd ddiwetha Mam fel y carlamodd i fyny'r grisiau i roi'i minlliw, a phowdwr ar ei thrwyn. 'Brysia, neu mi fyddi wedi colli'r bws ysgol.'

Mi soniais i am fy mhryder wrth Siw amser cinio yn yr ysgol. Ond doedd gan honno fawr o ddiddordeb yn fy mhroblemau i, am ei bod hi'n ceisio llygadu Prysor Jâms a chwarae'n ddeniadol hefo'i chlustdlysau newydd run pryd. Roedd o'n loes i'w chalon hi, na ofynnodd Prysor iddi fynd hefo fo i'r parti, a ninnau wedi treulio pnawn

23

hapus yn bedwar hefo'n gilydd. Ond mae 'na rywbeth swil ofnadwy yn Prysor. Rydw i'n siŵr y buasai fo'n gofyn ond iddo fod yn siŵr y buasai hithau'n derbyn.

Chawson ni fawr o wersi, dim ond pregeth ddi-ben-draw gan Robin Goch ... Miss Robina Jones sy'n dysgu Saesneg, ydi hi ... Roedd hi'n paldaruo yn ôl ei harfer am ba mor bwysig ydi 'not to waste your holidays, class. Remember, every term is important ... all homework is important, and each chance to study is important. You'll never get on in this world if you neglect your chances.'

Hen ferch ganol oed yn baent ac yn bowdwr i gyd ydi Robin Goch. Ac mae hi'n gwisgo coch o un pen o'r flwyddyn i'r llall. Felly Robina ... Robin ... Goch.

Beth bynnag, mi gyrhaeddais i adra amser te wedi diflasu'n lân. Be sy'n bod ar fechgyn, deudwch? Ddaru Derec Wyn ddim dweud gair wrtha i heddiw! A finnau wedi disgwyl pethau mawr! Neu ddisgwyl y buasai fo wedi gwenu arna i o leiaf. Roeddwn i bron â chrio, ond fy mod i'n benderfynol o guddio'n siom o flaen Gwen. Roedd honno'n edrych fel cath wedi llyfu hufen. Ys gwn i pam?

Mi ddechreuodd Mam cyn gynted ag y cyrhaeddodd hi adra o'i gwaith. A chafodd Dad ddim llonydd ganddi hi chwaith.

'Rŵan, pwy ydi'r Derec Wyn 'ma? O ba ran o'r dre mae o'n dŵad? A be ddeudist ti oedd gwaith ei dad o? Myrddin! Rwyt ti eisio gwybod, on'd oes?'

Erbyn fy mod i wedi trio ateb y cwestiynau a finna'n gwybod fawr ddim o'r atebion, roeddwn i'n teimlo fel pe buaswn i wedi rhedeg marathon. A chlywsoch chi rioed gymaint o siarsio. Paid â gwneud hyn ... paid â gwneud y llall nes roedd fy mhen i'n troi.

I geisio symud eu sylw nhw ychydig, mi gynigiais i ei bod hi'n hen bryd inni roi'r trimins i fyny yn ein tŷ ni, neu mi fuasai'r Nadolig wedi dŵad, ac wedi mynd hefyd, cyn inni sylwi.

'Does dim angen trio bod yn glyfar,' medda Dad gan afael yn ei bapur dyddiol a'i ddal fel mur mawr China o flaen ei drwyn.

Fydd o'n gwneud dim ond cwyno pan fydd eisio dringo i fyny i'r atig. Wn i ddim pam mae Mam yn trafferthu gofyn. Mi fuaswn i'n medru defnyddio'r ysgol fach a stwffio trwy'r ceuddrws petasai rhywun yn gofyn imi. Ond mi fedrodd Mam ei berswadio fo i nôl y goeden Nadolig o'r diwedd. (Un o'r rhai bytholwyrdd plastig 'na sydd ganddon ni, am fod Mam wedi hen flino ar lanhau'r pinnau bach o'r carped hefo coeden iawn.)

Mi fuaswn i'n licio coeden naturiol henffasiwn weithiau, ond mi rydw i'n cyd-weld â Mam fod y pinnau bach yn ddigon i achosi salwch nerfau i unrhyw un. Efallai, pan brioda i Derec Wyn, y caf i goeden iawn. Mi fedra i ddychmygu y fo a fi yn ei gosod hi yn lolfa ein tŷ newydd . . . yn gosod trimins a pheli arian arni. Mi fydd parseli'n frith o gwmpas ei throed, a photel sieri a dicanter ar y seidbord . . . tanllwyth o dân yn llyfu simnai'r grât henffasiwn, ac arogl cinio ardderchog yn treiddio'n ogleisiol o'r gegin. Ac mi fydd Derec Wyn yn gafael amdana i ac yn fy nghus . . .

A dyna fi'n ôl gyda'r hen broblem 'na eto. Beth ydw i am ei wneud os bydd Derec Wyn eisio cusan? Ddylwn i roi mreichiau am ei wddf . . . ta ei derbyn hi mor anystwyth â soldiwr pren? Fydd hi'n gusan geg agored fel y rheiny welais i ar y teledu . . . neu ryw bigiad bach sydyn ar fy moch? *Nefoedd!* Efallai mai brathiad cariad ga i! Ond . . . a mae hynny'n waeth fyth, beth petasai fo ddim eisio fy nghusanu o gwbl?

Dydw i ddim yn meddwl fod gen i B.O. Mi fydda i'n dal fy nhrwyn rywle yng nghyfeiriad fy nghesail bob cyfle gaf i rhag ofn fod arogl chwys arna i, ac yn plastro deodorant

25

yn siŵr. Ond mi wn i yr a i'n laddar o chwys pan
Derec Wyn amdana i, a beth petasai'r deodorant
on cryf?
i pam roedd Gwen yn gwenu mor 'ych â fi'?

Dydd Mawrth, Rhagfyr 20fed

Mi aeth Mam yn sâl amser brecwast. Cyfogi, a hithau *yn*
rhoi tamaid o dost yn ei cheg. Welais i neb yn diflannu
mor sgut am yr ystafell molchi. Mi ddaeth yn ei hôl â'i
hwyneb yn rhywbeth canolig rhwng gwyrdd a gwyn, a
chymerodd hi ddim ond paned o goffi gwan wedyn.

Mi gynigiais i y buasai'n well iddi aros gartra . . . mynd
i'w gwely am ychydig efallai . . . ac yn garedig iawn mi
ddeudais i y buaswn i'n gofalu am y llestri brecwast hefyd.
Gwrthod y cyngor ddaru hi . . . ond mi dderbyniodd
gynnig y llestri. Lwc mwngral fuo gen i rioed, ac mi
fuaswn i yn agor fy hen geg fawr, yn buaswn! Wn i ddim
pam na wnaiff hi brynu golchwr llestri run fath â mam
Siw. Does 'na ddim bryd brafiach na lolian sefyll ac
edrych ar hwnnw'n gweithio.

Tybed ydi Mam yn poeni am ymweliad Nain Tawelfa?
Mi fydd Dad yn ei nôl hi yma dydd Gwener, er i Mam
gwyno ei bod hi yma'n llawer rhy fuan cyn y Nadolig.
Rargol! Newydd sylweddoli rydw i! Mi fydd Nain yma
noson y parti. Llanastr pur! Dydi Nain ddim yn cyd-weld â
phobl ifanc yn eu mwynhau eu hunain, wel, dyna ydi'r
argraff gefais i rioed, beth bynnag. Dydi hi ddim yn
meddwl y dylai Mam a nhad fynd allan i fwynhau eu
hunain chwaith, yn enwedig pan mae hi yma'n aros.

Syniad Nain o fwynhau bywyd ydi eistedd o flaen y
teledu . . . a'r botwm wedi'i droi i'r pen am nad ydi hi'n
clywed yn dda iawn (ond pan licith hi) a'i phrif fwyniant
arall ydi sôn am driniaethau ysbyty yr hwn a'r llall a holi
am arferion personol pobl.

Dydi hi rioed wedi credu fod Mam yn bwydo Dad yn

iawn. Ac mae hi'n brolio byth a beunydd pa mor dda oedd *hi* am wneud pastai gig a thatw popty a phwdin reis. Pethau na fydd Mam yn *meddwl* am eu coginio, a hithau'n gwylio cymaint ar ei phwysau. Ac mi fydd Nain yn sôn llawer hefyd am stwff o'r enw 'Syrup of Figs', ac yn taeru mai am ei bod hi wedi llyweidio hwnnw i Dad ddwywaith yr wythnos mae o'n ddyn mor iach. Ac yna mi fydd hi'n ysgwyd ei phen ac yn awgrymu fod dirywiad mawr ynddo ers iddo briodi. Does dim rhyfedd fod Mam yn pletio'i gwefus a'i llygaid hi'n melltennu.

Efallai fod Nain yn iawn hefyd. Cas beth Dad ydi ymarfer corff o unrhyw fath. Dyna pam mae ganddo fo fol bach crwn uwch ei drowsus, a pham mae'i wyneb o'n mynd yn fflamgoch wrth iddo blygu i godi rhywbeth. Mae o'n colli'i wallt hefyd. Ys gwn i a oes a wnelo colli gwallt rywbeth â diogi? Os ydych chi'n ymarfer yn egnïol, mae'ch gwaed chi'n llifo'n gynt, debyg. Ac os ydi'ch gwaed chi'n llifo'n gynt, mae mwy ohono'n mynd i'ch pen, on'd oes? Ac mi ddylai hynny wrteithio'r gwallt a gwneud iddo dyfu.

Mi ofala i y caiff Derec Wyn ddigon o ymarfer. Prun bynnag, rydw i'n credu'n gryf mewn dynion yn gwneud gwaith tŷ. Ac mi fydda i'n gwylltio'n gacwn pan fydd Llŷr yn cael eistedd i wylio'r teledu, a finna'n gorfod helpu Mam. Felly, pan brioda i, mi fydd yn rhaid i Derec Wyn a minnau ddeall ein gilydd o'r dechrau. Dydw i ddim am fod yn sgifi i neb, hyd yn oed iddo fo.

Rhyw ddiwrnod digon fflat fuo hi yn yr ysgol. Roedd Gwen yn dal i wenu fel cath wedi cael jam ar ei brechdan . . . ac mae Derec Wyn yn siŵr o fod yn cadw o'n ffordd i. Ydi o rioed yn difaru?

Dydd Mercher, Rhagfyr 21ain

Sioc. Siom. Mi fydd pawb yn cael hwyl am fy mhen i. Rydw i'n teimlo fel fy nghladdu fy hun am byth. Mi fyddant i gyd yn difaru wedyn. Gwenno Jones wedi marw o siomiant. Wedi edwino fel planhigyn â diffyg dŵr arno, druan fach. Mi fedra i weld fy nghorff rŵan. Yr arch o goedyn cyfoethog a minnau'n gorwedd yn gorffyn llonydd a'm hwyneb yn bictiwr tlws llwyd ... ac un rhosyn coch rhwng fy nwylo plygiedig. A Derec Wyn yn sefyll uwch fy mhen a'i wyneb yn fôr o ddagrau. Ei fywyd ddim gwerth ei fyw wedi fy ngholli i.

Mi ddaeth ata i pan gyrhaeddais i'r ysgol.

'Yli ... Gwenno,' medda fo'n gloff i gyd, 'dydw i ddim yn meddwl y bydda i'n dŵad nos Wener.'

Mi aeth fy nghalon i lawr i fy sgidiau'n syth! Wedi difaru roedd o, ond nad oedd o ddim am ddweud. O wel! Os mai fel'na roedd pethau, doeddwn innau ddim am ddangos fy nghlwyf.

'Dim ots,' meddwn i er fy mod i bron â chrio.

Wrth lwc, mi ganodd y gloch y funud honno.

'Dim ots,' meddwn i eto a throi ar fy sawdl a cherdded, wn i ddim sut, am y dosbarth.

'Be gebyst sy arnat ti?' medda Siw cyn gynted ag yr eisteddais i wrth ei hochr.

'Dim byd,' meddwn i a lwmp fel wy iâr yn fy ngwddf.

Mi drodd Gwen a rhoi rhyw wên fach od arna i o'r ffrynt, ond roedd fy nghalon i'n rhy friwedig i gymryd llawer o sylw.

'Deud wrth Anti,' medda Siw wrth fy ngweld i'n sychu nhrwyn fel pe buasai'r ffliw arna i.

'Derec Wyn wedi t—— tynnu'n ô—— ôl,' meddwn i'n dorcalonnus.

Mi ddisgynnodd gên Siw i gyfeiriad ei bronnau.

'Wyt ti rioed yn deud? Pam?'

'B—— be wn i? Ddeudodd o ddim.'

'Mi ofynna i iddo fo.'

'Na. Plîs. Paid.'

28

Ond doedd 'na ddim darbwyllo ar Siw, er imi fygwth na fuaswn i byth bythoedd yn torri gair hefo hi wedyn.

A chyn gynted ag yr aeth y gloch ginio, fe ddiflannodd. Roeddwn i ar binnau rhag ofn i Derec Wyn feddwl fy mod i wedi'i hanfon hi. Wedi'r cwbl, mae gan bawb ei hunanbarch . . . er rydw i'n cyfadda fod fy un i wedi suddo i ryw bwll diwaelod ar y funud honno.

Efallai mai'r brychni haul oedd wedi troi arno fo. Er imi rwbio'r sudd lemon arnyn nhw bob nos, doedd yna fawr o wellhad. Wedi dechrau'n rhy hwyr, ddywedodd Gwawr pan gwynais i wrthi.

Roeddwn i'n methu'n lân â gweld Siw yn dŵad yn ei hôl yn ddigon buan, ond pan ddaeth hi, roedd hi'n wên i gyd.

'Camddealltwriaeth,' medda hi cyn fy nghyrraedd i bron.

"O?' meddwn i a gobaith yn ffrydio rywle yng ngwaelod fy stumog i.

'Gwen.'

'Gwen?' meddwn i'n ddryslyd.

Ac yna mi gofiais am yr olwg fu ar ei hwyneb hi'n ddiweddar. Mi ddyliwn i fod wedi amau fod a wnelo hi rywbeth â'r peth.

'Awgrymu wrth Derec Wyn fod gen ti gariad arall.'

'Wel, y . . . y . . .' Fedrwn i ddim meddwl am eiriau i ffitio'r amgylchiad.

Roeddwn i'n teimlo fel rhoi tro yn ei chorn gwddf petaswn ond yn cael cyfle. Ond peidio â chymryd arna, dyna oedd cyngor Siw, ac mae Siw yn un reit beniog ynglŷn â phethau fel'na.

Bitsh! Eisio gwneud drwg rhyngddof fi a Derec Wyn. Ond pam oedd eisio iddo fo ei choelio? Pam na fuasai fo'n gofyn yn blwmp ac yn blaen?

Ddim am fynd ar draws neb arall, dyna ddywedodd o wrth Siw.

'Cau dy geg ydi'r gora iti,' medda Siw wrth ddweud wrtha i. 'Mi fydd hynny'n fwy o boen i'r sgiaman Gwen 'na o'r hanner.'

Roeddwn i'n wyllt am ei thaclo hi yn y dosbarth . . . a hynny o flaen pawb. Ond mi wrandewais i ar Siw, yn enwedig gan ei bod hi wedi rhoi ar ddeall i Derec Wyn mai celwydd oedd y cyfan.

Mi ddaeth ata i wedyn yn yr iard.

'Sori, Gwenno,' medda fo. 'Mi ddyliwn i fod wedi gofyn.'

Mi fuo bron imi ddweud, 'Mi fuaswn i'n meddwl wir,' ond brathu nhafod wnes i.

'Yli, mi ddo i i dy nôl am hanner awr wedi saith,' medda fo.

'Be? I'r drws?' gofynnais innau'n syfrdan.

'Oes gen ti unrhyw wrthwynebiad?' medda fo'n reit syn.

'We . . . el. Nac oes,' meddwn i gan swnio fel iâr gloff.

Er y buaswn i'n medru rhestru cant a hanner o wrth-wynebion, petaswn i'n dweud y gwir. Yn un peth, doedd-wn i ddim wedi bwriadu dŵad â fo yn agos i'n tŷ ni. Ddim hefo Llŷr yn pwffian chwerthin, a Mam a Dad yn llygadu ac yn siŵr o ddeddfu pa bryd i ddŵad adra . . . ac, o'r nefoedd! . . . Nain Tawelfa yn sbïo arno fo tros ei sbectol ac yn pregethu am ryddid gormodol yr oes sydd ohoni heddiw.

Ond fedrwn i ddim dweud hynna i gyd wrtho fo, yn na fedrwn? Felly cau fy ngheg yn reit anfodlon ddaru mi am fod arna i ofn iddo fo ddigio eto a meddwl fod gen i gywil-ydd ohono fo neu rywbeth.

Mae Siw yn dweud fod teimladau bechgyn yn bethau sensitif iawn . . . rhaid ichi eu trin nhw hefo dau fys bach, medda hi. Mae'n rhaid ei bod hi'n gwybod am beth mae hi'n siarad hefyd. Rhywsut neu'i gilydd, mae hi wedi perswadio Prysor Jâms i ofyn iddi fynd hefo fo i'r parti o'r diwedd.

Dyfalbarhad, dyna'r cyfan sydd ei angen, medda Siw, pan ofynnais i iddi sut y llwyddodd hi. Ac, wrth gwrs, roedd ei chlustdlysau newydd ganddi. Roedd y frwydr wedi'i hennill cyn ei dechrau bron hefo'r rheini, medda Siw.

Ond dydi Prysor ddim am ddŵad i'r tŷ i'w nôl hi chwaith. Rhy swil, am wn i. Biti na fuasai Derec Wyn run fath. Rydw i'n dechrau chwysu'n barod wrth feddwl amdano fo'n dŵad i'n tŷ ni. Oes eisio imi'i wadd o i mewn, ta ei bachu hi trwy'r drws cyn i neb gael cyfle i'w weld?

Bron nad ydw i'n difaru imi ddechrau ar y busnes caru 'ma. Mae bywyd yn mynd yn fwy cymhleth bob dydd!

Dydd Iau, Rhagfyr 22ain

Dim ond y fi a Llŷr gartre heddiw. Mam a Dad yn gweithio. Diflas! Mae gwaith edrych ar ôl y cena bach. Diolch byth fod 'na raglenni ar y teledu . . . digon i'w gadw fo'n ddistaw am awr neu ddwy, beth bynnag.

Mi fentrais i wneud ychydig o fins peis y bore 'ma. Meddwl y buaswn i'n rhoi sioc i Mam. Ond llanastr pur fuon nhw. Siw yn ffonio a minnau'n anghofio amdanyn nhw yn y popty. Clywed yr ogla llosgi ddaru mi a rhedeg fel peth gwirion am y gegin. Rhy hwyr! Roedden nhw fel clapiau o lo.

Mae fy nhu mewn i'n drobwll symudol wrth feddwl am y parti. Ond mi fydda i'n siŵr o fy mwynhau fy hun . . . yn byddaf?

Dydd Gwener, Rhagfyr 23ain

Dau funud i hanner nos! Rydw i newydd gyrraedd adref o'r parti, a rŵan, rydw i'n eistedd yn fy ngwely ac yn ceisio cofnodi digwyddiadau'r dydd.

I ddechrau arni, mi roeddwn i wedi bwriadu treulio'r rhan fwyaf o'r diwrnod yn fy mharatoi fy hun erbyn y parti. Cael sesiwn go hir ar y beic ymarfer . . . cael bath . . . a pheintio ewinedd fy nhraed, a phracteisio trefnu ngwallt mewn gwahanol steil . . . rhywbeth mwy modern, fel un o'r darluniau welais i yng nghylchgrawn 'Modern Miss'.

Ond mi aeth pethau o chwith o'r funud y codais i bore heddiw. Roedd hynny cyn wyth hefyd. Wel, fedrwn i ddim meddwl am aros yn llipa yn fy ngwely . . . a *gwybod* mai heddiw oedd y diwrnod mawr! Fy nêt cynta swydd-ogol hefo bachgen . . . a hwnnw'n Derec Wyn o bawb.

Felly, mi neidiais o'r cynfasau fel pe buasai ciang o forgrug newynog yn anelu amdana i, a gwisgo ngwngwisg cyn ei gwadnu hi i lawr y grisiau i wneud mygiad o goffi i mi fy hun. Roeddwn i wedi bwriadu mynd yn f'ôl wedyn, nid i gael cyntun arall, ond i hanner gorwedd ar y gwely a breuddwydio am noson yng nghwmni rhamantus Derec Wyn.

Wrth gwrs, dydi pethau ddim yn digwydd fel yr ydych chi wedi bwriadu iddyn nhw yn ein tŷ ni. Pan gyrhaeddais i'r gegin, roedd Mam a nhad ar ganol ffrae . . . mi wyddwn i oddi wrth eu hwynebau nhw . . . er bod y ddau wedi cau'u cegau'n glep pan ddes i i mewn. Mi ddeudais i fod Nain Tawelfa'n achosi twrw yn ein tŷ ni, ac yn ddistaw bach, roeddwn i'n sicr mai dyna pam roedden nhw'n ffraeo.

Wel, peth annifyr iawn ydi gweld eich tad a'ch mam yn ffraeo, a wyddwn i ddim yn iawn beth oedd orau i'w wneud. Prun ai diflannu'n ôl i'r llofft a disgwyl i'w tym-herau nhw oeri tipyn bach, ta be. Ond dal fy nhir wnes i . . . gan feddwl wrthyf fy hun nad oedd waeth imi wybod y gwaethaf ddim. Mi es i ati i wneud y coffi mewn distaw-rwydd llethol. Neb yn dweud gair. Dim hyd yn oed 'Bore Da' neu 'Criba dy wallt cyn dŵad i lawr y grisia.' A dyna ddangos fod rhywbeth mawr o'i le. Nid lle distaw ydi ein cegin ni amser brecwast.

Roedd Mam yn eistedd uwch ei choffi a'i phen yn ei phlu, ac roedd golwg syfrdan braidd ar Dad. Run fath â phetasai o wedi cael newydd ofnadwy o annerbyniol. Wel, be fedrai fod yn fwy annerbyniol na Nain Tawelfa ar ei ffordd yma?

Does gen i ddim byd penodol yn erbyn Nain Tawelfa . . . ond y ffaith nad ydi hi'n hael iawn hefo'i harian na'i hanrhegion pen-blwydd hwyrach, a bod daeargryn emosiynol yn hitio'n tŷ ni bob tro y daw hi, a'i bod hi'n trio dysgu pawb a phopeth sut i wneud, a bod yn rhaid imi gysgu ar wely gwersyllu bob tro y daw hi. Ych!

'Gweithio'n galed am bob dima ar hyd fy oes, ddaru mi,' ydi'i hoff ddywediad hi wrth fy ngweld i'n dŵad adra hefo record newydd. 'Does 'na ddim cynilo yng nghroen y to ifanc 'ma . . . nac yng nghroen eu rhieni nhw chwaith.' (Hyn gyda golwg milain ar Mam pan welodd hi'r 'thri pîs' dralon newydd danlli yn y lolfa y llynedd.) Pethau fel'na sydd yn mynd o dan groen Mam.

Ond i fynd yn ôl at y bwrdd brecwast. Mi fentrais i holi am Nain wrth weld y ddau ohonyn nhw mor fud.

'Pa bryd ma Nain yn dŵad?'

Mi gododd Mam fel pe buasai tanllwyth o dân o dan ei phen ôl hi.

'Dyna'r oll ydw i'i eisio, NAIN!'

A dyma hi'n diflannu i fyny'r grisiau. Mi drois i i sbïo ar Dad a ngheg i fel un sgodyn wedi'i ddal.

'Be sy?'

'Dy fam yn ypsét,' medda Dad . . . a golwg yr un mor ypsét arno yntau.

'Am fod Nain yn dŵad?' mi ofynnais i'n chwilfrydedd i gyd.

Wedi'r cwbl, roedd hi wedi bod yma ganwaith o'r blaen, a welais i rioed mo Mam yn ypsét *cyn* iddi ddŵad,

33

ddim ond *wedi iddi gyrraedd*. Ac nid ypsét oedd y gair a ddefnyddiwn i'r adeg honno chwaith. Na, fflamgoch ulw dymherus yfflon, fuaswn i'n 'i ddweud.

'I . . . ia.'

Wel, mi edrychais i'n reit ddrwgdybus ar Dad, achos doedd o ddim yn swnio'n sicr iawn o'i ffeithiau. Ac mi aeth rhyw don o gochni rhyfedd tros ei wyneb, ac mi allaswn daeru ei fod o'n methu â chyfarfod fy llygaid i.

Ddim am gyfadda'u bod nhw'n ffraeo mae o, mi feddyliais wrthyf fy hun. Ac erbyn hyn, roeddwn i wedi colli diddordeb braidd am fy mod i'n teimlo fod gen i ddigon i boeni amdano fo heb fynd i mewn i'w busnes nhw ymhellach. Sut oeddwn i am fyhafio heno oedd yn fy mhoeni i. Sut ymateb oedd Derec Wyn yn ei ddisgwyl ar ddêt cyntaf? Roedd o'n broblem ofnadwy . . . yn gymaint o broblem fel y dechreuais i synfyfyrio uwchben fy nghoffi ac anghofio popeth am fynd yn f'ôl i'r llofft, a chlywais i mo'r hyn ddywedodd Dad nesaf . . . ddim nes iddo'i ailadrodd yn uwch o lawer.

'Waeth iti wybod ddim. Ma dy fam yn disgwyl babi.'

Mi fuo bron imi â gollwng fy myg coffi. Be ddeudodd o?

'Ma dy fam yn disgwyl babi.'

'BABI?' Roedd fy llais i'n codi'n sgrech.

'Ssh! Paid â siarad mor uchel rhag ofn i Llŷr glywad.'

Mi edrychais i ar Dad fel pe buaswn i'n wraig Lot. Disgwyl babi! Be yn y byd mawr oedd arnyn nhw? Ac yna dyma'r peth yn fy hitio i . . . ac mi fuo bron imi â throi fy nghoffi yn fy ffwdan. Be ddeudai pawb yn yr ysgol? Fedrwn i byth godi mhen pan ddeuai stori fel hyn allan. Sut ar y ddaear na fuasen nhw wedi bod yn fwy gofalus?

Ac yna fe hitiodd rhywbeth arall fi. Rhywsut doeddwn i ddim wedi dychmygu'u bod nhw'n byhafio'n ddigon cariadus i gael babi arall. Ond mi gofiais am y gusan honno yng ngwaelod y grisiau, ac roedd yn rhaid imi wynebu'r ffaith eu bod nhw'n cael eu munudau gwan yn union run fath â phobl ifanc. Mae'r byd yma'n llawn o ryfeddodau.

Mi gododd Dad fel pe buasai fo'n difaru dweud wrtha i gan fwmian rhywbeth am nôl Nain Tawelfa ar ôl cinio . . . a bod yn well i mi fynd hefo fo am fod Mam yn teimlo dipyn yn bethma.

'Y fi?'

Mi dagais ar fy llymaid olaf o goffi yn fy nychryn. Doedd gen i ddim amser i fentro troed o'r tŷ 'ma heddiw. Ddim tan hanner awr wedi saith, pan fyddwn i'n dŵad i lawr y grisiau fel brenhines carnifal i fynd hefo Derec Wyn.

'Dad! Fedra i ddim. Ddim heddiw. Ma'r parti . . .'

'Twt! Dydi hwnnw ddim tan heno. Mi roith gyfla i dy fam gael seibiant am ychydig, a hithau wedi bod mor brysur cyn i'r cwmni gau am y Nadolig. Rhaid iti helpu mwy arni hi rŵan. Dyna un rheswm imi ddweud wrthyt ti am y babi.'

Y nefoedd fawr! Roeddwn i'n rêl sgifi yn y tŷ 'ma'n barod. Faint mwy oedd eisio'i wneud? A phwy oedd yn mynd i wneud pan ddeuai'r babi? Mi driais i gofio sut fabi oedd Llŷr . . . a methu'n lân. A dweud y gwir, y cyfan fedrwn i'i gofio oedd ei fod o'n fabi swnllyd felltigedig . . . yn sgrechian crio bob cyfla a gâi o . . . a bod 'na arogl drwg ofnadwy pan oedd eisio newid clwt.

Dydw i ddim yn siŵr iawn ydw i fy hun eisio babi byth. Ddim hyd yn oed wedi priodi Derec Wyn. Na, mi fydd yn well gen i gael gwyliau tramor a llond tŷ o ddodrefn newydd, a chael crwydro heb falio dim am fabi mewn crud.

Siw rŵan. Mae hi'n gwirioni am fabis . . . am gael pedwar, medda hi. Mi driais i'i hargyhoeddi hi droeon fod hynny'n ddwbl gormod fel petai, ond glynu wrth ei hargyhoeddiad mae hi hyd yn hyn. Mi'i rhybuddiais i hi y byddai'n rhaid iddi chwilio am filiynydd i gadw'r ffasiwn haflig, ond mae gen i syniad y bodlonith hi ar Prysor Jâms os caiff hi'r cyfle.

Wel, mi olchais i'r llestri'n ddigon pwdlyd, a mynd i fyny i'r llofft wedyn i ofyn i Mam oedd hi angen rhywbeth.

'Dim byd,' medda hi mewn llais bron â chrio.

'O, Mam!' meddwn i a nghalon i'n meddalu o dosturi. 'Hidiwch befo. Ma lot o bobl yn cael babis.'

A dyma hi'n troi ar ei hochr ac yn edrych arna i a'i llygaid yn llawn dagrau.

'Doeddwn i ddim eisio babi arall, ysti,' medda hi. 'Rydw i'n rhy hen. Ond ma hi'n rhy hwyr rŵan.'

Mi roes fy nghalon dro sydyn od. Rhy hwyr i be? Doedd hi rioed yn meddwl rhy hwyr i gael terfyniad, yn nac oedd? Rydw i'n gadarn stond yn erbyn peth felly. Mae gan bob babi hawl i gael ei eni. Rhyfedd na fuasai'r ddau wedi defnyddio pethau atal cenhedlu os oedden nhw mor gryf yn erbyn rhagor o deulu. Mae rhaglenni teledu yn stwffio digon o wybodaeth i benglogau pobl bob wythnos. Fedrwch chi ddim peidio â dysgu, a hynny ar eich gwaethaf.

Wel, mi'i gadewais i hi'n llyfu'i chlwyfau fel maen nhw'n 'i ddweud, a ffwrdd â mi i lawr y grisiau eto i gysuro dipyn ar Dad. Dew! Does 'na ddim diwedd ar orchwylion rhywun yn y tŷ 'ma.

Mi aeth y bore fel corwynt o mlaen i, a finna'n rêl morwyn fach. Doedd 'na ddim llawer o hwyl ar Mam o hyd. Salwch bore, meddai hi pan ofynnais i iddi. A'r mwyaf glywa i, y mwyaf penderfynol ydw i na chyffyrdda i â'r babis 'ma. Dydw i ddim am fod yn fam . . . dim ond yn wraig.

Mi fuo'n rhaid inni fynd i nôl Nain yn syth ar ôl cinio. Roedd Mam wedi dŵad ati'i hun ychydig erbyn hyn, ac yn trio ei pharatoi'i hun i wynebu tafod pigog Nain pan gyrhaeddai.

Mi eisteddais i yn y sedd flaen wedi diflasu'n lân. Dim rhyfedd, a minnau'n gweld diwrnod pwysica mywyd yn fflio heibio heb imi gael gwneud yr un dim i baratoi. Roeddwn i'n dechrau cael hunllef ohonof fy hun yn rhuthro am y llofft chwarter wedi saith, a *dim* amser gen i fy mhrydferthu fy hun na dim.

Roedd Nain yn ein disgwyl. Roedd hi'n eistedd yn y gegin gefn a'i chôt a'i het amdani, a hanner dwsin o fagiau siopio plastig o'i chwmpas. (Dydi Nain ddim yn coelio mewn cesys.) Wiw gwario dwy geiniog lle mae un yn gwneud y tro, medda hi, heblaw ei bod hi'n tyngu'n wastad nad ydi pensiwn y llywodraeth benstiff gybyddlyd yma'n ymestyn i brynu moethau. Dyna pam mae ganddi lygedyn bach o dân a chymylau o fwg, debyg, bob tro yr awn ni yno.

'Mi gymeroch eich amser,' medda hi'n ddigon pigog wedi inni gyrraedd. 'Gafael yn y bagiau 'na, Myrddin, a dos â nhw i'r car. Rydw i'n barod ers meitin.'

Cyn i dad gael cyfle i ufuddhau, dyma hi'n sbïo'n graff arno.

'Does 'na ddim golwg rhy dda arnat ti. Llosgi'r gannwyll ddeuben eto, decyn i, yn lle byta digon a chael oriau cynnar. Roedd digon o liw yn dy wynab di erstalwm.'

Roedd hynny cyn iddo fo ddeall ei fod o am fod yn dad unwaith eto, mi feddyliais wrthyf fy hun. Fedr neb gadw wyneb coch wedi cael sioc fel'na, ac yntau dros ei ddeugain.

'Wel, paid â sefyll yn fan'na fel polyn lein ar streic. Rydw i'n berffaith barod.'

Ddaru Nain ddim stopio siarad ar y ffordd adre. Yn gyntaf, mi ddechreuodd holi Dad am ei iechyd. Rhywsut, roedd hi wedi cael y syniad nad oedd hwyl dda iawn arno fo, ac, wrth gwrs, roedd hi'n casglu bwledi i'w hyrddio at Mam wedi cyrraedd.

Yna, dyma hi'n cofio amdana i ar y sedd ôl.

'A sut ganlyniada gest ti tua'r ysgol 'na, Gwenno!'

Mi driais fy ngorau i egluro iddi hi na chawson ni ddim arholiadau iawn cyn y Nadolig. Ond roedd hi wedi darllen yn rhywle nad oedd athrawon ysgol yn gwneud eu gwaith, a'u bod nhw'n treulio gormod o amser ar fusnes undeb ac ar streic byth a beunydd. Ac, wrth gwrs, roedd hi eisio tynnu cymaint o wybodaeth ag a fedrai hi o nghyfansoddiad i cyn inni gyrraedd adre.

Erbyn cyrraedd y tŷ, mi roeddwn i'n teimlo fel cadach llestri rhwng popeth. Wel, nid pob dydd mae rhywun yn darganfod fod 'na fabi newydd ar ei ffordd ac yn cael Nain Tawelfa i aros run pryd . . . a *hefyd* . . . yn cael ei dêt cyntaf y noson honno. Synnwn i ddim na fydda i'n llegach hollol tros y Nadolig.

Mi gerddodd Nain i'r tŷ fel llong mewn llawn hwyliau, a ninnau'n gychod bach llwythog ar ei hôl hi.

'Oes 'na baned i'w chael?' oedd ei geiriau cyntaf hi.

Wrth lwc, roedd Mam wedi hen arfer hefo'r gorchymyn (nid cwestiwn) arferol yma.

'Mae o ar y bwrdd, Nain,' medda hi. 'Tynnwch eich côt.'

'Mae'n well gen i ei gadael hi nes bydd y tân 'ma wedi cynnau'n iawn,' medda Nain. 'Fedra i ddim diodda tân pitw yr adag yma o'r flwyddyn. Digroeso rywsut.'

Mi welais i wefusau Mam yn dechrau symud, ac roeddwn i'n gwybod ei bod hi ar fin dweud ei meddwl. Ond mi neidiodd Dad i'r adwy.

'Mi fydd gynnon ni dân perffaith gysurus bob amsar, Mam,' medda fo'n reit sarrug. 'Ac mi rydach chi'n cael croeso tywysogaidd bob tro y dowch chi yma.'

Fel arfer, byhafio fel hogyn bach o dan fawd ei fam fydd Dad hefo Nain. Ac mi fydd hynny'n gyrru Mam yn gynddeiriog. Wel, yn ddistaw, tipyn bach o sebon meddal oeddwn innau yn ei gyfrif hefyd, er ei fod o'n dad imi, a finnau'n meddwl y byd ohono. Ond dydi pob dyn ddim yn gryf ei gymeriad, medda Siw.

Mi fedrwn i weld fod Nain wedi cael tipyn bach o syrpreis, achos cau ei cheg ddaru hi ac yfed ei the yn ddistaw. Wel, erbyn hyn, roeddwn i ar binnau eisio mynd i fyny i'r llofft a dechrau ar fy mharatoadau. Mi lyncais fy nhe gan obeithio na fyddai'n rhaid imi olchi'r llestri eto. Digon ydi digon.

'A beth wyt ti wedi bod yn ei wneud heddiw, ngwas i?' medda Nain wrth Llŷr a'i llais hi'n meddalu tipyn.

Os oes ganddi ffefryn o gwbl, Llŷr ydi hwnnw. Mi roedd o yn berffaith barod i'w hateb am ei fod yn gwybod fod ganddi rholyn Polo Mints yn ei bag llaw, ac os byddai'n lwcus, fe gâi un neu ddau ganddi. Ac mi wnaiff Llŷr rywbeth er mwyn cael fferins.

Mi gododd pawb arall yn reit sgut a chario'r llestri i'r gegin.

'Ga i fynd rŵan,' meddwn i wrth Mam.

'Cei siŵr,' medda Dad. 'Mi olcha i'r llestri hefo hi.'

Syrpreis! Syrpreis!

Yna cyn imi gael amser i gael fy ngwynt ataf, dyma fo'n dechrau sôn am y parti, a sut roedden nhw'n disgwyl imi fyhafio . . . cofio peidio â gwneud ffŵl ohonof fy hun a gadael i fachgen fanteisio arna i. Cofio peidio ag yfed os oedd 'na ddiod feddwol yno hefyd. Wn i ddim sut barti mae Dad yn ei feddwl ydi o. Mae tad Iori Owen yn ymwrthodwr rhonc, medda Iori, felly fydd 'na fawr o gyfle i neb yfed ffrwyth meddwol y grawnwin.

'Ol reit, Dad. Na wna, Dad. Ga i fynd rŵan, Dad?'

'Cei, wel . . . dim ond iti gofio . . .'

A chyn iddo gael amser i newid ei feddwl, roeddwn i hanner ffordd i fyny'r grisiau yn dyfalu ble fuasai orau imi ddechrau. Ar fy nhraed . . . ta ar fy mhen?

Wel, erbyn hanner awr wedi saith, roeddwn i wedi cael bath (mi ddefnyddiais i risialau gorau Mam), wedi peintio ewinedd fy nhraed, wedi trio ac wedi methu mabwysiadu steil o'r 'Modern Miss' . . . ac wedi gwisgo'r sgert ddu. Mae'n rhaid fod pedlo'r beic ymarfer wedi gwneud rhywfaint o les achos mi fedrais i gau'r sgert yn weddol rwydd, ond rhad arna i os y bwytea i damaid!

Pan ganodd cloch y drws, roeddwn i'n sefyll o flaen y drych . . . ac yn barod. Wel, go lew o barod. Achos mi roeddwn i ar fin penderfynu tynnu'r sgert . . . a mynd yn fy jîns . . . pan glywais i'r gloch. Ac mi roedd yn rhy hwyr wedyn, on'd oedd?

Mi redais i lawr y grisiau . . . orau medrwn i hefo'r sgert . . . ac agor y drws.

'Hiya! Barod?'

Mi lyncais fy mhoer heb ddweud gair. Fedrwn i ddim. Nefi! Mi roedd o'n edrych yn bishyn. Ei wallt tywyll yn gorwedd yn ddestlus flêr . . . a jîns clytiau llwydion am 'i goesau fo, . . . y rheiny sy'n edrych run fath â phetasen nhw wedi llwydo wrth eu golchi.

'Tyrd i mewn . . . Derec . . . yntê?'

Mi neidiais wrth glywed llais Dad o'r tu ôl imi, ond be fedrwn i'i wneud ond agor y drws led y pen ac ategu'r gwahoddiad. Wn i ddim a oedd Derec Wyn wedi dychryn braidd, ond ddeudodd o run gair, ddim ond camu i mewn gan edrych yn reit annifyr.

'Rydan ni ar gychwyn,' meddwn i wrth Dad, gan obeithio y buasen ni ein dau yn cael mynd heb ragor o ffws.

Ond . . . yn union fel yr ofnais i . . . roedd Dad eisio gwneud yn siŵr sut fachgen oedd Derec Wyn . . . ac eisio pwysleisio fod yn rhaid bod gartre mewn amser call . . . ac yn y blaen.

Wel, mi aeth â fo i mewn i'r lolfa. Wn i ddim pam roedd yn rhaid iddo wneud peth mor wirion, ac yntau'n gwybod fod Nain Tawelfa yno. Mi fywiogodd trwyddi pan welodd hi Derec Wyn a deall fod o a minnau yn mynd i barti.

40

'A phwy ydi'i dad o, Myrddin?' medda hi a llygedyn milwriaethus yn ei llais.

(Os nad oedd ei rhieni yn gofalu am yr hogan fach, roedd ei Nain hi am wneud.)

Wna i ddim ymhelaethu ar y cwestiynu ymhellach, ddim ond dweud fod Derec Wyn a minna yn falch ofnadwy o gael dianc oddi yno o'r diwedd.

'Sori am hynna,' mi fentrais i ddweud wrtho fo. 'Ma Nain yn dipyn o holwraig.'

'Dim ots,' medda Derec Wyn. 'Ma fy nain inna'n debyg iddi.'

Ond roedd o'n hollol anghywir yn fan'na. Does *neb* yn debyg i Nain Tawelfa!

Mi gerddon ni yn reit sidêt am dŷ Iori Owen . . . ochr yn ochr, ond fel pe buasen ni'n hanner perthyn i'n gilydd.

'Wyt ti'n edrych ymlaen?' gofynnodd Derec Wyn o'r diwedd.

(Roeddwn i'n crafu meddwl ers meitin yn trio darganfod testun sgwrs.)

'O! ydw,' meddwn i. 'Wyt ti?'

Wel! am sgwrs ddiddorol! Ond petasech chi'n bygwth fy lladd i yn y fan a'r lle, fedrwn i ddim meddwl am ddim arall.

Wrth lwc, mi welson ni Siw ym mhen y stryd, ac mi wellhaodd pethau'n syth. A jest pan oedden ni'n cyrraedd y drws mi gyrhaeddodd Prysor.

'Mi wisgaist y sgert,' medda Siw wrth inni dynnu'n cotiau.

'Do,' meddwn inna. 'Ond paid â gofyn imi anadlu, neu mi fydda i fel glöyn byw o grysalis.'

'Wn i ddim pam na fuaset ti wedi cymryd dy seis 12 arferol.'

'Ia, wel . . .' meddwn inna gan wybod yn iawn mai styfnigo hefo Mam wnes i.

Wel, y parti. Wn i ddim ymhle i ddechrau . . . na wn i wir. Roedd 'na blateidiau o fisgedi bach a gwahanol bethau arnyn nhw i'w bwyta, brechdanau ffansi, goleuadau'n fflachio fel mewn disgo go iawn . . . a chwaraewr recordiau'n byrlymu'n dreiddgar yn fy nghlustiau. Roedd yna bwnsh sudd oren i'w yfed a ffrwythau ffres wedi'u sgleisio ynddo fo . . . a chracers i'w tynnu a hetiau gwirion i'w gwisgo. Roedd mam a thad Iori yno i ddechrau, ond wnaethon nhw ddim aros. Dim wedi iddyn nhw weld fod pawb yn byhafio'u hunain.

Mi ddawnsiais i hefo Derec Wyn trwy'r nos. Wrth gwrs, fedrech chi ddim dawnsio o ddifri, dim ond symud a gogwyddo yn eich unfan. Ac mi eisteddais i yn y gongl . . . a braich Derec Wyn amdana i, a theimlo mod i wedi cyrraedd rhyw nefoedd fendigedig. Ac mi gerddodd Derec Wyn a minnau, a Siw a Prysor adra wedyn yn bedwar hapus. Ac wedi inni ffarwelio â'r ddau mi afaelodd Derec Wyn amdana i yr holl ffordd i ddrws ein tŷ ni. Ac yn fan'no . . . roedd o *yn* mynd i roi cusan imi . . . oedd wir. Roedd fy nghalon i yn drybowndio yn fy nghlustiau a minnau wedi hanner cau fy llygaid i ddisgwyl amdani . . . roedd breichiau Derec Wyn yn tynhau amdana i . . . a dyma Dad yn agor y drws.

'Dyma chi,' medda fo. 'Mae'n hen bryd ichi glwydo eich dau. Mae diwrnod ar ôl heddiw, ychi.'

A dyna'r lle rydw i yn eistedd yn fy ngwely, a'r biro yn fy llaw . . . a heb gusan! On'd ydi rhieni'n ddideimlad?

Dydd Sadwrn, Rhagfyr 24ain

Mi ddeffroais i yn fy ngwely ar y landin y bore 'ma. Fan'no y bydda i'n cysgu pan ddaw Nain i aros.

Mmmm! Roeddwn i fel cath yn canu grwndi. Meddyliwch! Y fi, Gwenno Jones, hefo cariad. Fedrwn i ddim peidio â meddwl am neithiwr, ac ail-fyw yr holl bethau a ddigwyddodd. A'r rhai heb ddigwydd hefyd . . . fel y gusan fu *jest* imi'i chael!

Fy nghusan gyntaf fuasai hi. A finna wedi poeni amdani ers dyddiau, ac wedi gweithio fy hun i fyny nes roedd 'na ddaeargryn symudol yn fy stumog trwy'r gyda'r nos. Wnes i fwyta fawr ddim o'r bisgedi bach rheiny hefo'r gwahanol bethau arnyn nhw, na'r brechdanau ffansi chwaith. Roeddwn i'n poeni am ddau beth, y gusan a'r sgert ddu!

Mae hi'n rincls i gyd y bore 'ma. Mi'i crogaf i hi yn y wardrob ac anghofio amdani nes y bydda i'n seis 10 go iawn. Synnwn i ddim na cholla i bwysau yn sydyn a minnau mor brysur yn y tŷ 'ma.

Ond chefais i ddim amser i freuddwydio yn fy ngwely y bore 'ma. Roedd hi'n ddiwrnod paratoi yn ein tŷ ni. Paratoi erbyn y diwrnod mawr. Y diwrnod y byddwn ni'n bwyta a bwyta nes y byddwn ni'n methu â chwythu, yn gwylio teledu nes bydd ein llygaid ni run siâp â'r bocs, ac yn cael ein siomi'n rhacs gan rai anrhegion.

'Cod, Gwenno, iti gael helpu dipyn ar dy fam.'

Ydi hi rioed yn sâl eto heddiw, meddwn i wrthyf fy hun a chodi fel mul o styfnig. Wel, doedd dim angen imi ofyn, yn nac oedd? Roedd hi'n eistedd wrth y bwrdd yn y gegin â'i hwyneb fel y galchen, a dim ond paned o goffi o'i blaen.

'Dos â phaned i Nain, wnei di?' medda hi'n dorcalonnus.

Mae Nain Tawelfa'n disgwyl tendars pan ddaw hi i aros.

'Iawn,' meddwn innau gan wneud y gorau o'r gwaethaf.

A'r gorau o'r gwaethaf oedd hi hefyd. Mae Nain yn tynnu'i dannedd gosod bob nos wrth fynd i'r gwely . . . a fedra i ddim *diodda'u* gweld nhw'n sgyrnygu arna i o'r gwydr bach. Maen nhw'n fy atgoffa i o *Jaws*. A phob tro y gwela i ddannedd Nain ar y bwrdd bach, mi fydda i'n eu dychmygu nhw'n clic clician eu ffordd amdana i yn union fel rhai y siarc hwnnw.

Mi gaiff Rhys ap Dafydd ofalu am fy nannedd i tra bydda i byw. Waeth gen i faint fydd yn rhaid imi'i ddioddef, os ca i sbario dannedd gosod. Rydw i'n siŵr na fuasai Derec Wyn ddim yn hoffi gwraig hefo dannedd gosod, hyd yn oed pan fyddwn ni'n hen ac yn daid a nain. Na, rydw i'n anghofio. Dydw i ddim am fod yn fam, heb sôn am fod yn nain! Rydw i wedi hen ddiflasu ar y busnes babis 'ma, heblaw na wn i ddim *sut* rydw i am wynebu fy ffrindiau yn yr ysgol.

Mi fuo mi'n practeisio. Efallai y dylwn i dorri'r newydd yn syth bin er mwyn iddyn nhw gael y sioc trosodd ar unwaith.

'Ma Mam yn disgwyl babi.'

Ond efallai fod hynna'n swnio'n foel . . . yn rhy ddideimlad? Dydw i ddim am i neb feddwl fod ots gen i. Efallai y buasai ffordd arall yn well.

'O ia! Mae gen i newydd da. Rydyn ni am gael rhagor o deulu yn ein tŷ ni.'

Ond waeth imi gyfaddef ddim. Dydi o ddim yn newydd da. Mae'n gas gen i feddwl am y peth. Mae babi'n iawn, ond iddo fod yn fabi i rywun arall, nid ein babi ni. Dydi rhieni neb arall yn cael babi wedi iddyn nhw fynd yn hen. Fedra i ddim diodda meddwl y bydd pobl yn siarad amdanom ni. Meddyliwch! Mae Llŷr yn wyth oed!

Ond yn ôl at y dannedd gosod. Mi fuaswn i'n taeru'u bod nhw'n gwenu'n filain arna i o'r gwydryn bach pan es i i mewn. Mi benderfynais eu hanwybyddu . . . troi fy mhen i ffwrdd a sodro'r baned yn llaw Nain yn syth. Ond . . .

'Estyn y gwydr bach imi, Gwenno,' medda Nain. 'Fedra i ddim yfad fy mhaned heb fy nannadd.'

'Ble ma dy fam y bora 'ma?' medda hi wedi'u gwisgo nhw'n ddiogel.

Wel, roeddwn i ar fin agor fy ngheg a dweud nad oedd hi'n teimlo'n rhyw bethma iawn, pan sylweddolais i mai cyfrinach oedd y babi.

'Y . . . y . . .'

'Be?'

'Y . . . lot i'w wneud,' meddwn i'n gloff.

'Hmm!' medda Nain yn reit surbwch. 'Twrci ffres sy ganddoch chi, debyg? Fedra i ddim diodda'r petha dyfrllyd 'ma wedi'u rhewi. Ma eisio blas y pridd i wneud twrci da.'

'O, . . . ia, . . . wrth gwrs,' meddwn inna'n gelwyddog, achos un wedi'i rewi sydd ganddon ni bob blwyddyn, ond bod Nain heb ddarganfod hynny eto.

'Mi goda i pan fydd y lle 'ma wedi cael amsar i gynhesu,' medda hi wedyn gan edrych yn arwyddocaol ar y tân trydan a ddodwyd yn sbesial yn ei llofft.

'Mi ro i fo ymlaen ichi, te.'

Dydi neb arall yn cael tân yn y llofft. Rhy ddrud, medda Dad, ac arian ddim yn tyfu fel chwyn yn yr ardd. Ond mae Nain yn mynnu'i thendars, fel y dywedais i.

'Wnest ti ddim dweud fy mod i'n sâl, debyg?' medda Mam pan es i lawr.

Ysgwyd fy mhen wnes i, achos dydw i ddim yn ffŵl hollol, yn nac ydw? Ac mi rydw i'n reit sgut ar fy nhraed pan mae eisio cuddio rhywbeth.

'Mae'n ddigon buan i ddweud wrth Nain, ysti,' medda hi eto.

'Ond mi fydd yn rhaid ichi ddweud wrthi *rywdro*, yn bydd?'

Fedrwch chi ddim cuddio peth fel disgwyl babi yn hir, yn na fedrwch? Ac os oeddwn i'n adnabod Nain, pwdu mwy wnâi hi os clywai'r newydd o le arall.

'Bydd.' Ochneidiodd Mam.

Mae'r cwmni mae Dad yn gweithio iddo wedi cau tan y flwyddyn newydd. Ac wrth gofio hynny, mi obeithiais i

45

fod siawns go lew iddo dynnu'i bwysau yn y lle 'ma, a helpu hefo'r cant a mil o bethau oedd i'w gwneud. Gobaith mul am y Grand National, tê? Y peth cyntaf ddaru fo oedd agor y papur a chladdu'i drwyn yn y tudalennau ôl. Ac mi fyhafiodd yn reit od pan edrychais i tros ei ysgwydd er mwyn sbecian a oedd o yn y dudalen ffortiwn. Mi fydda i'n cael cip ar fy sêr bob dydd, rhag ofn fod 'na rywbeth arbennig am ddigwydd imi. Ond prin y cefais i nhrwyn tros ei ysgwydd na chaeodd o'r papur yn ffrwcslyd a brathu'n finiog imi helpu Mam yn lle busnesu.

Mi allaswn i daeru mai yn y dudalen 'Gwaith i'w gael' oedd o. Ond mae'n siŵr mai camgymryd wnes i hefyd. Does ganddo fo ddim diddordeb mewn newid swydd, ac yntau wedi bod hefo'r cwmni ers pymtheng mlynedd.

Roedd gweddill y diwrnod fel amserlen bysys.

9.30. Nain yn codi ac yn mwynhau brecwast bacwn a selsig. Mam yn gadael y gegin . . . ar ras bron.

10 o'r gloch. Mynd i'r siop. Prynu moron, ysgewyll Brwsel, tatw, potel o saws llugaeron ar gyfer y twrci, grawnwin, orenau, bananas, a chnau. Adre'n llwythog a disgyn i'r gadair.

11 o'r gloch. Mynd â phaned canol bore i Nain. 'Gweithio wyt ti, Gwenno?' medda hi'n reit garedig. 'Tynnu ar ôl fy ochr i o'r teulu.'

Dew!

12 o'r gloch. Sylweddoli'n sydyn nad oedd gen i gerdyn Nadolig i Derec Wyn . . . dim anrheg chwaith! Oes eisio imi brynu un? Ffonio Siw.

Dim peryg, medda honno. Gwastraff ar arian. Dydi un dêt ddim yn garu. Gofyn iddi beth am Prysor. Siw'n giglan yn swil (Siw'n swil?) ac yn cyfadda'i fod o wedi gofyn am ddêt arall. Wythnos nesaf. Teimlo fel sgrechian. Soniodd Derec Wyn ddim byd wrtha i. Dweud wrthi nad oedd gen i amser i siarad, rhag ofn iddi ddechrau holi be ddeudodd Derec Wyn. Rhuthro i'r llofft a thaflu fy nhedi yn erbyn y wal. Difaru'n syth. Rhen greadur druan! Ei godi a rhoi cusan glec ar flaen ei drwyn a'i ddodi yn ei le arferol ar y gwely. Mynd i lawr y grisiau am ginio gan deimlo fel pe buaswn i wedi colli ffortiwn.

Llŷr yn ffalsio hefo Nain er mwyn cael fferins. Does ganddo fo ddim problemau mewn bywyd . . . dim ond pynctiar yn 'i feic, a cholli'i bêl-droed weithiau. Yn wahanol i mi.

Tymer ddrwg ar Mam am fod Nain yn swnian . . . a Llŷr yn swnian . . . a Dad yn trio cadw pawb yn hapus . . . a hithau hefo llond gwlad o waith . . . ac yn disgwyl babi . . . a'i stumog hi'n wantan . . . ac yn canu hefo'r côr heno . . . a . . a . . .

1 o'r gloch. Golchi'r llestri. Gaddo plicio'r tatw i Mam heno . . . gaddo tynnu'r llwch a threfnu'r cardiau Nadolig yn y lolfa . . . gaddo gosod gweddill yr anrhegion wrth y goeden. Teimlo'n ddigalon. Bywyd ddim yn werth ei fyw. Sut mae Siw wedi cael cynnig dêt arall, a minnau ddim? Waeth gen i am y Nadolig . . . nac anrhegion . . . na dim.

2 o'r gloch. Dechrau bwrw eira. Dim ond ambell i bluen. Waeth imi fy nghladdu fy hun yn y tŷ ddim. Does 'na ddim pleser mewn mynd allan, hyd yn oed os ydi hi'n bwrw eira. Waeth gen i am Nadolig gwyn.

5 munud wedi 2. Derec Wyn yn ffonio. Mi fuo bron imi â chael ffit! Ffit hapusrwydd. Eisio gwybod oeddwn i wedi fy mwynhau fy hun yn y parti, a gofyn tybed fuaswn i'n 'i gyfarfod o am hanner awr wedi tri yn y dre.

Mi ddeudais i 'ia' cyn meddwl am ofyn i Mam a Dad. Wel, chwarae teg, roeddwn i wedi gweithio nes roedd fy nghoesau i'n stympiau trwy'r bore, on'd oeddwn?

'Mi fyddwn ni'n dy ddisgwyl adra hefo'r bws bump . . . ddim hwyrach,' medda Dad.

'Ond, Dad, . . .'

'Yli, mae 'na ddigon i'w wneud yn y tŷ 'ma . . . a dy fam eisio help.'

Mi fydda i'n medru seboni Dad fel arfer, a chael fy ffordd fy hun. Ond mae'n rhaid fod y babi ma wedi'i ypsetio, achos doedd 'na ddim troi arno fo, hyd yn oed wedi imi addo'n bendant y down i hefo'r un hanner awr wedi pump. Cris-croes tân poeth, torri mhen a thorri nghoes.

'Bws bump, Gwenno,' medda fo. 'A dyna ddiwedd arni.'

'A ble ma'r hogan yn mynd?' medda Nain.

'I gyfarfod Derec Wyn,' meddwn i'n reit dalog.

Wel, doedd dim pwynt mewn cuddio'r gwir, yn nac oedd, a hithau wedi ei holi fo tu chwyneb allan, ac wedi darganfod fod merch i chwaer nain Derec Wyn yn byw yn yr un stryd â hi.

'Ia, wel, rŵan ydi'i hamsar hi,' medda Nain.

Mi fuo bron imi â syrthio. Mi sbïais i'n rêl het arni. Ac yna mi gefais i ffit ymhellach! Mi winciodd yn slei arna i a mynd i'w bag llaw ac estyn ugain ceiniog imi.

'Hwda iti gael prynu rhwbath i ti dy hun,' medda hi.

Sôn am fyw yn yr oes o'r blaen! Dydi ugain ceiniog ddim digon i hurio llwy yn Wimpy. Ond y meddwl sy'n cyfri, yntê?

3.30. Cyfarfod Derec Wyn o flaen Wlis. Teimlo'n swil wrth gofio am y gusan fuo bron imi â'i chael. Ond efallai mai breuddwydio wnes i. Fedra i ddim penderfynu erbyn hyn.

Cerdded i lawr y stryd yn sbïo ar y trimins a'r goleu-adau, ac aros o flaen ffenest sawl siop i edmygu'r nwyddau. Derec Wyn yn gobeithio cael cyfrifiadur yn anrheg Nadolig, medda fo, a chael rhaglenni newydd i fynd arno fo. Mae o'n gobeithio cael rhaglen gwyddbwyll hefyd. Rydw i wedi penderfynu fod 'na lot ym mhen

Derec Wyn. Efallai mai gwraig i wyddonydd fydda i, neu i bennaeth rhyw gwmni enfawr.

4.30. Dechrau bwrw eira o ddifri. Roeddwn i wrth fy modd yn gwrando arnyn nhw'n canu carolau wrth y goeden fawr ar y sgwâr a honno'n bictiwr hefo'i brigau llawn eira, yn enwedig gan fod Derec Wyn yn gafael yn dynn yn fy llaw i. Mae hapusrwydd fel chwysigen fawr yn llawn o liwiau'r enfys, ac mae hi'n tyfu . . . a thyfu . . .

5 o'r gloch. Y bws yn cyrraedd, a Derec Wyn yn stwffio rhywbeth i'm llaw i. Sbïo arno fo wedi mynd i'r bws. Cerdyn Nadolig a 'Hwyl oddi wrth Derec Wyn' wedi'i sgwennu arno fo. Mi'i cadwaf o am byth. Mi deimlais i'n ofnadwy am nad oedd gen i un iddo fo. Efallai y pryna i un 'Blwyddyn Newydd'.

5.15. Cyrraedd adre. Y palmant yn eira gwyn ac ôl fy nhraed i'n batrwm igam-ogam arno fo. Troi i mewn trwy giât yr ardd a chael andros o belen eira yn fy nghlust chwith. Gwylltio'n gacwn wrth Llŷr. Roedd coler fy siaced yn wlyb domen, ac eira oer yn llithro i lawr fy asgwrn cefn. Diawl bach mewn croen ydi o, ac wedi cael ei sbwylio'n rhacs hefyd am mai fo ydi babi'r teulu.

Hei! Rydw i newydd sylweddoli. Nid y fo fydd babi'r teulu'n fuan. Tybed ydi hynny'n lliniaru tipyn ar fy nghywilydd i? Wn i ddim chwaith. Rydw i'n chwys domen wrth feddwl am yr ymateb yn yr ysgol. Dydw i ddim eisio babi newydd yn ein tŷ ni . . . a dyna'r gwir crasboeth ichi.

5.30. Wrthi fel slecs yn plicio tatw . . . a chrafu moron . . . a gosod anrhegion a chardiau . . . ffrwythau a chnau . . . popeth yn barod erbyn yfory. Mi awgrymis i y dylai Llŷr wneud ei ran . . . a hynny'n bur gryf hefyd. Wedi'r cwbl, fydd o'n dda i affliw o ddim os na ddysgith o dynnu'i bwysau o'r dechrau, yn na fydd? Ond chymerodd neb sylw, fel arfer. Doedd waeth imi siarad hefo mi fy hun

49

ddim. Does dim rhyfedd fod rhai pobl yn gadael cartre. Annhegwch bywyd sydd yn drech na nhw.

6 o'r gloch. Swper ffwrdd â hi am fod pawb yn mynd i'r neuadd i wrando ar y côr. Mae Mam yn canu ar ei phen ei hun. Solo. Ac er mai fi sy'n dweud, mae hi'n un dda hefyd. Llais fel eos, ddeudodd rhywun. Wel, fedra i ddim ateb tros hynny, achos chlywais i rioed eos. Ond mae hi'n cael cymeradwyaeth hir a swnllyd bob tro . . . ac yn cael encôr hefyd.

Roedd Nain wedi gwisgo'i dillad gorau yn barod erbyn yr achlysur. Dyma'r unig adeg mae Mam yn ei phlesio . . . pan mae hi'n canu . . . a Nain yn cael brolio wrth bawb mai ei merch-yng-nghyfraith ydi hi.

'Be brynist ti hefo'r arian rois i iti?' medda Nain. 'Rhywbeth gwerth ei gael, gobeithio.'

Hefo ugain ceiniog? Jôc orau'r flwyddyn!

'Rydw i am ei gadw fo nes gwela i rywbeth,' meddwn i.

Mi blesiodd hynny'n ofnadwy. Mae Nain yn credu'n gry mewn gwerth arian . . . yn enwedig pan maen nhw'n sefydlog yn eich poced chi.

7 o'r gloch. Cyrraedd y neuadd, ac eistedd dair rhes o'r ffrynt. Nain yn ymledu'i hun i lenwi sêt a hanner. Eisio digon o le i anadlu, meddai hi. Mi fynnodd ddŵad â chôt law blastig hefo hi. Un o'r rheiny sy'n siffrwd a chlecian pan ydych chi'n 'u plygu nhw. A phan oedd yr arweinydd yn dechrau ar ei lith, dyma Nain yn penderfynu plygu. Mi fuo bron imi â marw o embaras.

Ond doedd Nain yn malio dim, er i lot o bobl droi rownd a dweud Sssh! Ac mi roedd yr arweinydd ar ganol dweud stori wirion pan benderfynodd Nain chwilio am ei phaced fferins yng ngwaelod ei bag . . . a dyna ichi funudau eraill o embaras angheuol tra oedd hi'n datod y papur.

Mi welais i Siw yn yr egwyl, ac mi'i gwadnais hi i eistedd hefo hi reit yn y tu ôl. Ac o hynny ymlaen, mi

50

fwynheais i'r cyngerdd yn ardderchog, yn enwedig pan fedrais i ddweud wrthi fy mod wedi cyfarfod Derec Wyn yn y dre yn y pnawn.

'Be! Pam na ddeudist ti ar y ffôn?'

Mi rois i bwniad reit gïaidd iddi, achos roedd ei llais hi'n sgrech bron, a finnau wedi cael llond bol o bobl yn sbïo i fy nghyfeiriad hefo Nain.

'Am nad oedd o wedi ffonio'r adeg honno, yr het!'

Beth bynnag, mae Siw am ddŵad draw pnawn fory i glywed yr hanes, ac i gyfnewid anrhegion. Pnawn Nadolig y byddwn ni'n gwneud hynny bob amser.

Roedd golwg luddedig ar Mam pan gyrhaeddon ni adre, ac mi ddeudodd Dad wrthi am eistedd i lawr tra gwnâi yntau baned. Mi sbïodd Nain yn od braidd am funud, achos does ganddi hi fawr o feddwl o ddynion yn y tŷ. Ond roedd hi'n dal i dorheulo yn y ganmoliaeth ail-law gafodd hi yn sgîl Mam, a ddeudodd hi ddim byd.

Mi fuo'n rhaid i Llŷr fynd i'w wely'n syth. Rydw i'n gwybod nad ydi o'n coelio yn Siôn Corn ers y llynedd, ond nad ydi o'n cymryd arno. Ac i gadw'r smalio mlaen, rydw innau'n rhoi pilw gwag wrth droed y gwely hefyd. Wrth gwrs, mae 'na rywbeth braf mewn deffro ar fore Nadolig a gweld pilw boliog yn disgwyl wrthych chi. A pha ots mai Dad ydi'r Siôn Corn. Mi fydda i'n smalio cysgu ac yn ei wylio fo'n blaen-droedio i mewn, ac wedyn yn dweud, 'Nos da, Gwenno' uwch fy mhen i. Mi fyddwn ni'n giglan yn ddistaw ein dau wedyn, ac mi fydda i'n cloi fy mreichiau am ei wddf . . . ac yn rhoi clamp o gusan iddo fo. Ei gusan Nadolig, medda fo. Munud sbesial rhyngddom ni'n dau.

Mae'r twrci wedi'i stwffio, y llysiau i gyd yn barod a'r pwdin yn ei bowlen, dau ddwsin o 'fins peis' yn y tun a chlamp o deisen eisin gwyn erbyn te. Rydw i am fwynhau'r Nadolig. Ydw wir.

Llŷr oedd yr unig un a ddeffrodd yn fore heddiw. Amdana i, wel, mi roeddwn i'n reit fodlon gorwedd a gwybod fod y pilw yno'n fy nisgwyl, . . . pan deimlwn i'n ddigon egnïol i roi fy sylw iddo fo.

Roeddwn i wedi rhoi cerdyn Derec Wyn ar y bwrdd bach wrth ochr fy ngwely, ac mi dreuliais i funudau braf jest yn gorwedd yno a sbïo arno fo, ac yna'n ei agor a darllen 'Hwyl oddi wrth Derec Wyn', trosodd a throsodd.

Yna mi balfalais ym mherfeddion y pilw rhag ofn fy mod i wedi cael syrpreis heb ei ddisgwyl. Rhywbeth fel ugain punt i brynu'r hyn ddymuna i, neu set gyflawn o gosmetics o Boots, neu un o'r 'Byrddau Miwsig' trydan 'na a welais i yn y siop gerddoriaeth. Rydw i'n ffansïo un o'r rheiny ers cantoedd, wel, ers imi basio Gradd 3 chwarae'r piano hefo union gant o farciau. Mae cant o farciau'n swnio'n grêt. Ond mi roedd eisio cant i basio . . . naw deg naw ac mi fuasai wedi darfod arna i!

Dydi fy nghalon i ddim mewn dysgu chwarae'r piano. Ond mi fuaswn i'n gwirioni petaswn i'n cael un o'r byrddau 'na.

Fy siomi gefais i wrth gwrs. Mi ges i ddau lyfr Judy Blume . . . mae gen i fwy o ddiddordeb yn rheiny rŵan ar ôl dechrau mynd allan hefo Derec Wyn . . . bag ymolchi coch a gwyn, bocs o sebon a phowdwr talc. I gyd yn iawn yn eu lle . . . ond ddim yn chwyldroadol i eneth a'i throed ar ddechrau bywyd, yn nac oedden? (Bywyd caru rydw i'n 'i feddwl.)

Roedd hi'n wyth o'r gloch ar y cloc pan benderfynais i godi. Pan dynnais i'r llenni doedd 'na ddim byd ond eira llachar i'w weld ym mhobman. Nadolig gwyn! Roedd o'n edrych yn lân neis . . . yn rhy lân i gerdded arno fo. Efallai y gwnaen ni ddyn eira yn yr ardd ffrynt yn y pnawn . . . cyn i Siw gyrraedd. A rhoi sgarff am ei wddf a het am ei ben, a dwy faneg a ffon rywle gyferbyn â'i ddwylo. Mi fuasai hynny'n hwyl.

Roeddwn i'n teimlo'n egnïol yn sydyn, er fy mod i wedi gweithio mor galed ddoe. Efallai mai meddwl am yr anrhegion heb eu hagor wrth y goeden roeddwn i, a'r mynydd o fwyd a ddisgwyliai yn y gegin, a Siw yn dŵad yn y pnawn, a'r bunt anrheg a gawn i gan Nain fel arfer, . . . a cherdyn Nadolig Derec Wyn.

Beth bynnag oedd y rheswm, roeddwn i wedi gwisgo fy ngwnwisg ac wedi cyrraedd y gegin cyn imi ystyried. Ac wedi cyrraedd yno, doedd waeth imi wneud paned fore i Dad a Mam ddim a dechrau'r diwrnod ar y llwybr iawn, tê?

Mi fydd pawb yn ddiog yn ein tŷ ni ar fore Nadolig . . . pawb ond Llŷr. Mae hwnnw fel cacynen biwis o'r eiliad yr agorith o 'i lygaid. Rhyfedd fel mae bechgyn wyth oed yn cael pob peth maen nhw'n 'i ofyn amdano, tra mae rhywun fy oed i'n awgrymu'n ddyfal am wythnosau . . . a chlustiau pawb wedi'u cau.

Ond mi godais fy nghalon ychydig pan edrychais i yn y lolfa, a gweld dau barsel mawr a Gwenno wedi'i sgwennu arnyn nhw. Doedden nhw ddim yna neithiwr chwaith, achos mi edrychais i y peth diwethaf cyn mynd i fy ngwely. Ond dydi run ohonyn nhw'n siâp bwrdd miwsig.

Yn syth ar ôl cinio y byddwn ni'n agor anrhegion y goeden. Pan mae pawb yn foliog llawn ac yn hanner cysgu, a phan mae sŵn y teledu wedi'i droi i lawr tra mae'r frenhines yn annerch y wlad. Mae'n biti ei gweld hi'n ystumio yn fan'no a neb yn gwrando arni. Rydw i'n siŵr y buasai hithau wrth ei bodd yn cael rhoi'i thraed i fyny ar bnawn Nadolig ac anghofio am yr araith, hynny ydi, os ydi hi wedi bod mor brysur â Mam yn paratoi cinio. Ond debyg nad ydi hi ddim, a byddin o sgifis ganddi hi i wneud y gwaith. Diflas! Mi fetia i y buasai hi wrth ei bodd yn gwisgo ffedog tros 'i gemau, ac yn talu iddi hefo'r twrci a'r popty, a thywallt rym tros y pwdin nes mae o'n wenfflam.

Mi eisteddon ni yn y lolfa a dechrau rhannu'r anrhegion. Dau barsel mawr meddal oedd fy rhai i. Dillad, meddwn i wrthyf fy hun yn syth, a chroesi mysedd run pryd rhag ofn fod Mam wedi prynu rhywbeth afiach drybeilig. Ond gwnwisg newydd oedd mewn un parsel ... un deunydd tywel cynnes pinc ardderchog, ac yn y llall ... wel, mi ges i syrpreis go iawn, roedd 'na siaced ledr ddu. Rhywbeth roeddwn i wedi'i ffansïo ers cantoedd.

Roeddwn i wedi prynu pâr o socs i Dad a photel fawr o risialau baddon i Mam, pysl i Llŷr er mwyn ei gadw fo'n ddistaw am bum munud, a phapur sgwennu i Nain. Ac am wn i nad oedden nhw i gyd wedi'u plesio.

Mae'n rhaid fod Nain wedi cael troedigaeth ariannol, achos mi roddodd ddwybunt imi'n anrheg. Efallai 'i bod hi wedi clywed am chwyddiant o'r diwedd!

Mi gyrhaeddodd Siw pan oedden ni *yn* gorffen ... cyn imi feddwl am wneud dyn eira. Roedd hi wedi lapio fy anrheg yn ddeniadol ... papur glas tywyll a llinyn aur i'w glymu, a rhosyn aur wedyn i guddio'r cwlwm. Mae o'n rhy ddel i'w agor bron.

Mi aethom ni i fyny i'r landin er mwyn inni gael llonydd hefo'n pethau ni ein hunain. Sent 'Temtasiwn' oeddwn i wedi'i brynu iddi ... a dyna'r union beth ges i ganddi hithau hefyd. Mi gwympon ni'n llegach ar y gwely a gweiddi chwerthin.

'Temtasiwn, i ddenu sylw Derec Wyn,' medda Siw a'i hwyneb hi'n biws.

'Temtasiwn, i ddenu Prysor, siŵr iawn,' meddwn innau.

Mi gydsynion ni i'w ddefnyddio ar ein dêt nesaf ein dwy er mwyn gweld prun ai ar Prysor ynteu ar Derec Wyn y caiff o fwyaf o effaith.

'Na, gwrando,' medda Siw yn reit seriws am unwaith, 'Gest ti . . . gest ti gusan?'

'Gest ti?' mi ofynnais innau.

Doeddwn i ddim am ddatgelu'r gwir yn rhy fuan rhag ofn fod Siw wedi cael gwell lwc.

'Dydi bechgyn iawn ddim yn trio am gusan yn syth bin,' medda Siw yn wybodus.

'Sut gwyddost ti?' mi ofynnais innau'n syn.

'Mae bechgyn iawn yn parchu genethod,' medda Siw. 'Wyddost ti, ddim yn trio petha ar y dêt cynta.'

Mi aeth 'na ias ryfedd i fyny f'asgwrn cefn i. A dweud y gwir, doeddwn i ddim wedi meddwl . . . na phoeni . . . ymhellach na chusan. Ond pan soniodd Siw am drio pethau, mi ges i hunllef o Derec Wyn yn . . . yn neidio amdana i a'm rheibio'n syth. Ac os oeddwn i'n dyfalu sut i ymateb i gusan . . . wel, wyddwn i ar y ddaear be fuaswn i'n 'i wneud petasai fo'n mynd yn anodd i'w drin. Rhoi swadan iddo fo lle y buasai'n gwneud mwyaf o ddifrod, am wn i!

Roedd Siw yn dotio at fy siaced ledr . . . bron â llyfu'i cheg o eiddigedd. Run fath yn union ag yr oeddwn innau wrth sbïo ar ei chlustdlysau hithau.

Dyna pam mae 'na ryfeloedd yn y byd 'ma, medda Dad. Am fod pawb yn blysio pethau sydd gan bobl eraill.

Mae Siw yn licio Nain Tawelfa. Mae hwyl i'w gael hefo hi, medda hi, yn enwedig pan mae Nain yn dechrau mynd trwy'i phethau.

'Fel'na byddi ditha pan ei di'n hen,' medda Siw. 'Yn baldorddi am 'Syrup of Figs' ac yn dynn hefo dy arian.'

'Byth dragwyddol,' meddwn i mewn dychryn.

Fedrwn i ddim meddwl am Derec Wyn yn byw hefo rhywun fel Nain. Ond does gan neb mo'r help eu bod nhw'n mynd yn hen, yn nac oes? Ys gwn i sut un oedd Nain pan oedd hi'n fy oed i? Wnes i ddim meddwl llawer am y peth o'r blaen . . . ond mae hithau wedi bod yn ifanc rywdro.

Roedd Nain yn holi'n arw faint oedd y twll clustiau wedi'i gostio . . . a faint oedd y clustdlysau hefyd. Mi deimlais i ryw obaith gwan rywle o gwmpas fy stumog. Tybed oedd hi am roi rhai'n anrheg imi? Dim ffasiwn lwc, wrth gwrs.

'Rargian fawr!' medda hi pan ddywedodd Siw wrthi. 'Ma'r bobl wedi dy dwyllo o bunnoedd. O bunnoedd,' medda hi wedyn gan ysgwyd ei phen.

Ond wedi dweud ei barn, doedd gan Nain fawr o ddi-ddordeb mewn cynnal sgwrs, yn enwedig a hithau wedi bwyta cinio Nadolig go helaeth. Nid ei bod hi wedi brolio llawer arno fo chwaith. Dim ond bwyta'n ddistaw a gadael plat glân ar ei hôl.

'Gwydriad bach o win gwyn, Nain?' gofynnodd Mam.

'Fydda i ddim yn ei gyffwrdd o,' medda Nain, 'ond gan mai'r Nadolig ydi hi . . .'

Ac mi yfodd y gwydriad ar ei thalcen bron.

Mi roeddwn i'n gobeithio y cawn innau wydriad y Nadolig yma hefyd. Wedi'r cyfan, mi rydw i'n bedair ar ddeg ond deufis, ac mae'n rhaid ichi ddysgu ysgwyd llaw hefo temtasiwn rywdro, yn does? Ond er bod Mam a Dad yn licio yfed gwin eu hunain, dydyn nhw ddim am i mi rannu'r profiad.

'Mae'n ddigon buan iti ymgyfarwyddo hefo diod,' medda Mam. 'Dechrau'n rhy fuan mae pobl ifanc heddiw, ac yn meddwi'n wirion.'

'Colli'u penna,' ategodd Nain.

'Ond ma Gwawr yn cael bob Dolig . . . a Gwen hefyd.'

'Mwya cywilydd i'w rhieni nhw,' medda Nain.

Mi feddyliais i fod Mam am ailfeddwl am eiliad, jest am fod Nain yn rhoi'i phig i mewn, ond plethu'i cheg ddaru hi a thywallt sudd oren arall imi heb ddweud gair.

Mi roedd Nain wedi ei gosod ei hun yn gyffyrddus yn y

gadair cefn uchel wrth y tân pan gyrhaeddodd Siw, ac wedi iddi holi Siw am y clustdlysau, mi gaeodd ei llygaid a gadael i'w phen suddo'n is ac yn is at ei bronnau.

'Ydi hi'n cysgu bob pnawn?' holodd Siw.

'Wedi cael glasiad o win,' meddwn innau.

'Un?' medda Siw. 'Ma fy nain i'n cymryd dau . . . ac un arall noson Nadolig hefyd. Cysgu fel planc tan y bora wedyn, medda hi.'

Roeddwn i wedi penderfynu erstalwm fod nain Siw yn fwy hwyliog na fy un i . . . yn enwedig a finnau'n gwybod ei bod hi'n fwy rhydd hefo'i harian hefyd. Ond fedr neb newid y perthnasau sydd ganddo, yn na fedr? A hwyrach fod Nain Tawelfa'n rhagori mewn rhai pethau, er na fedrwn i ddychmygu beth oedden nhw'r funud honno chwaith.

'Tyrd i wneud dyn eira,' medda Siw, wedi inni orffen chwerthin am yr anrheg 'Temtasiwn.'

Ac i ffwrdd â ni gan giglan a gwthio'n gilydd fel plant bach.

Mi wnaethon ni ddyn eira ardderchog . . . er mai fi fy hun sy'n dweud. Ac mi ddaethon ni'n ôl i'r tŷ amser te hefo bochau cochion a thraed fel tostyn a bwyta sleisen werth chweil o'r deisen Nadolig, a dwy fins pei. Mae'n dda mai wedi *bod* mae'r parti, neu fuasai gen i ddim siawns mul o wisgo'r sgert ddu.

Mi aeth Siw adre tua chwech. Gyda'r nos, mi eisteddon ninnau i gyd fel rhes o fwmïau'r Aifft i wylio'r teledu. Mi fwyteais i ddau far Mars, paced o greision caws a finegr . . . brechdan dwrci a stwffin . . . a dysglaid o dreiffl sieri wedyn. Rydw i am gadw'r sgert ddu tan y Nadolig nesaf. Mi fydda i wedi cael amser i deneuo eto erbyn hynny.

Dydd Llun, Rhagfyr 26ain

Bwyta sborion . . . sbïo'n hiraethus ar gerdyn Derec Wyn
. . . ydi o'n meddwl amdana i? . . . darllen llyfrau Judy
Blume . . . teimlo'n ddiog.

Dydd Mawrth, Rhagfyr 27ain

Mae cig twrci'n dechrau codi cyfog arna i. Twrci oer ar
blât, brechdan dwrci, cyri twrci, pei dwrci . . . mae hyd
yn oed y gath wedi'i chuddio'i hun o dan y gwely rhag
gweld rhagor ohono fo.

Dydw i ddim wedi sôn am Modlan drws nesaf o'r blaen
am fod Derec Wyn ormod ar fy meddwl i. Mae hi wedi
mabwysiadu ein mat o flaen ein tân ni, a Mam heb
galedu'i chalon i'w throi hi allan. Dydw i fy hun ddim yn
gwirioni am gathod. Maen nhw'n rhy hoff o sleifio i'r
llofft a gorwedd ar eich siwmper ddu ysgol chi a'i gadael
yn flewiach ansymudol. Ac mae llygaid Pelydr X gan
Robin Goch . . . heblaw 'i bod hi'n alergol i flew cath, ac
yn dechrau tisian a chwythu'i thrwyn pan ddaw hi o fewn
hanner milltir iddyn nhw.

Mae Mr Preis drws nesa wedi trio popeth i gadw
Modlan gartre, ac wedi gwario ffortiwn, greda i, ar stwff
o'r enw 'No-go' o'r fferyllfa a'i daenu'n drwch ar wal yr
ardd i geisio darbwyllo Modlan ymhle ma'i gwir gartre hi.
Ond mae gan Modlan benderfyniad cryfach na'r cyffredin
. . . ac yn ein tŷ ni y mynnith hi fod.

Diwrnod diog arall. Mam yn llwyd . . . Dad yn boenus
. . . Nain yn chwyrnu . . . Llŷr yn yr ardd yn taflu peli
eira at ddim byd . . . Gwenno'n synfyfyrio . . . am Derec
Wyn, wrth gwrs!

Dydd Mercher, Rhagfyr 28ain

Mae'r dre wedi deffro trwyddi heddiw. Mi aeth Siw a
minnau i lawr yno ar ôl cinio. Nid am ein bod ni am

wario'r arian Nadolig chwaith . . . er bod sêl bron ymhob siop, ond am ein bod ni'n gobeithio gweld Prysor a Derec Wyn.

Siomiant! Dim arlliw o'r ddau. Mi gerddon ni'n araf bach i fyny ac i lawr y stryd gan ddal i obeithio. Roedd y trimins a'r goeden fawr wrth y cloc yn edrych yn ail-law wedi'r Nadolig. Yn ddigalon rywsut. Fel pe buasai'n hwyr ganddyn nhw ddiflannu am flwyddyn arall.

Biti na welson ni 'run o'r ddau, a finnau wedi gwisgo'n siaced ledr ddu newydd.

Dydd Iau, Rhagfyr 29ain

Beth sydd 'na i'w ddweud heblaw ein bod ni wedi ffarwelio â gweddillion y twrci o'r diwedd . . . a bod pawb yn ddiog . . . a dim ar y teledu . . . a'r eira'n llithrig wlyb budr . . . ac na chlywais i run gair gan Derec Wyn.

Dydd Gwener, Rhagfyr 30ain

Gwell hwyl ar Mam bore heddiw. Dau beth wedi codi'i chalon hi. Mi ffarwelion ni â'r twrci ddoe . . . ac mae Nain Tawelfa'n mynd adre heddiw.

Wn i ddim ydi hi eisio mynd chwaith. Efallai nad ydi hi'n licio byw mewn tŷ ar ei phen ei hun, a disgwyl i Dad a ninnau ddŵad i edrych amdani.

'Mae'n well iti ddŵad hefo mi i'w danfon,' medda Dad amser brecwast. 'Mi roith gyfla i dy fam gael seibiant, yn enwedig a ninnau'n cael parti nos fory.'

Mae ein parti Nos Galan ni yn un o gyfrinachau gorau Cymru . . . wel, rhag Nain, beth bynnag. Os caiff hi sniff arno, mi arhosith am noson arall er mwyn gweld bai a beirniadu ffrindiau Mam a Dad . . . neu dyna be ddywed Mam. Ond mi fydda i'n meddwl weithiau y buasai Nain wrth ei bodd, yn enwedig petasen nhw'n gwadd rhywun agos at ei hoed hi i gadw cwmpeini. Rhywun fel nain Siw, yntê?

Er bod Nain tipyn bach yn grintachlyd ac yn anodd ei thrin, mae gen i gydymdeimlad bach hefo hi hefyd. Byth ers y gwelais i raglen ar y teledu yn sôn am hen bobl . . . ac mor annifyr ydi hi arnyn nhw, a'u ffrindiau i gyd wedi marw . . . a'r teulu'n anghofio amdanyn nhw. Rhywsut, mi ddechreuais i deimlo'n reit annifyr wrth feddwl am Nain, achos mae'n rhaid imi gyfadda nad ydw i'n rhy hoff o fynd yno i'w gweld. Peth annifyr ydi cydwybod wedi'i ddeffro.

Efallai fod Mam wedi lliwio gormod ar fy agwedd i tuag ati . . . wedi dweud cymaint o'r drefn am Nain fel fy mod inna'n methu â barnu trosof fy hun. Mae Siw yn dweud fod yn rhaid i bawb benderfynu trosto ei hun . . . ac adnabod pobl ei hun hefyd, nid cymryd gair rhywun arall amdanyn nhw. Ond mae'n anodd gwybod ble i ddechrau hefo Nain.

'Diolch am fy lle i,' medda hi'n reit gyfeillgar wrth gychwyn.

'Croeso. Unrhyw dro,' medda Mam heb fawr o argyhoeddiad tu ôl i'w geiriau.

'Ia, wel . . . ,' medda Nain a throi am y drws.

Roedd llwybr yr ardd yn reit lithrig hefo'r eira, ac mi afaelais i yn ei braich rhag ofn iddi syrthio, ac am fod Dad yn cario'r bagiau plastig.

'Eisteddwch yn y ffrynt, Nain,' meddwn i, er bod yn gas gen i eistedd yn y tu ôl os ca i ddewis.

Digon distaw oedd Nain wrth inni fynd â hi adra, er bod Dad yn trio magu sgwrs. Debyg ei bod hi'n falch o weld cefn Mam hefyd . . . a phethau ddim yn rhy dda rhyngddyn nhw rioed.

Mi arhoson ni am dipyn bach i siarad ac i wneud yn siŵr fod y tân yn cynnau a digon o lo yn y tŷ er mwyn i Nain gael sbario mynd allan. Mi es innau i lawr i'r siop hefyd i nôl torth a menyn a thipyn o bethau eraill iddi. Y fi fydd yn rhedeg i lawr i'r siop bob tro yr awn ni yno.

'Torth Mrs Jones? Ddaru hi ddim aros tros y flwyddyn newydd felly?'

'Naddo.'

'Biti. Roedd hi'n edrych ymlaen.'

Ew, mae rhai pethau'n gwneud ichi deimlo'n euog. Ond dydi Nain byth yn cael aros tros y flwyddyn newydd. O achos y parti.

Roedd Mam fel pe buasai hi wedi cael bywyd newydd pan gyrhaeddon ni adre.

'Rhaid imi ddechrau ar y quiches a'r rholion selsig erbyn fory,' medda hi'n fflons i gyd.

A rywsut, wyddwn i ddim yn union pam, mi ddechreuais i wfftio ati ynof fy hun . . . a meddwl ei bod hi'n ddideimlad a dauwynebog, a bod cywilydd iddi ymddwyn fel'na tuag at Nain . . . a hithau'n hen, a heb neb ond y ni i gofio amdani hi.

'Pam na fuasa Nain yn cael aros?' meddwn i'n sydyn.

Mi sbïodd y ddau'n syn arna i.

'Am nad ydi hi'n mwynhau parti,' medda Mam yn swta.

'Ond wyddoch chi ddim. Dydach chi rioed wedi'i thrio hi.'

'Mae Nain yn hapusach yn ei lle ei hun,' medda Dad.

Mi ffrwydrais i . . . a hynny'n hollol annisgwyl i mi fy hun.

'Wel, . . . cywilydd ichi,' mi waeddais yn ffyrnig cyn rhuthro i fyny'r grisiau a rhoi clep fel taran Awst ar y drws i leddfu nheimladau.

Wedi imi gyrraedd y llofft, doeddwn i ddim yn siŵr iawn pam roeddwn i wedi codi'r holl helynt, achos wnes i rioed feddwl llawer am unigrwydd Nain tan eleni. Ond dydi rhieni ddim yn iawn bob amser, yn nac ydyn?

Mi ddaeth Dad i fyny'r grisiau fel y diafol ei hun.

'Yli, Gwenno, dyna ddigon o dy strancio di. Chei di ddim ypsetio dy fam fel hyn. Wyt ti'n dallt? Dydw i ddim eisio clywad gair croes gen ti eto heddiw. Wrth gwrs mae'n well gan Nain dawelwch ei chartra, na bod ar ei thraed yn hwyr yma i ddisgwyl y flwyddyn newydd.'

'Meddech chi,' meddyliais i'n ddistaw, ond roedd fy nhân mewnol wedi chwythu'i blwc erbyn hyn.

Doeddwn i ddim yn gwybod beth i'w goelio. Prun ai geiriau Dad . . . ynteu y teimlad annifyr yn fy meddwl i. Ond mi wyddwn i fod Nain yn licio mynd i'w gwely'n gynnar, felly efallai mai Dad oedd yn iawn.

Dydd Sadwrn, Rhagfyr 31ain

Roedd hi fel ffair Gaer yn ein tŷ ni trwy'r dydd, hynny ydi wedi i Mam ddŵad ati'i hun yn y bore.

Gwenno gwna hyn, Gwenno gwna'r llall. Rydw i'n meddwl yn ddifrifol am fynd ar streic. Wel, dyna sy'n digwydd ymhob man arall, yntê? Does neb am wneud dim byd am ddim.

Roedd Mam fel pe buasai'n benderfynol o wneud hwn y parti gorau a gafon ni rioed. Efallai na fydd 'ma barti wedi i'r babi newydd ddŵad. Dydi babis yn ddim byd ond gwaith a chodi nos, clytiau budron a thaflu i fyny, neu felly maen nhw'n ymddangos i mi, beth bynnag, fel yr edrycha i mlaen i'r dyfodol.

Mi fuo mi'n gwrando am ganiad y ffôn trwy'r dydd. Doeddwn i ddim wedi cael gair gan Derec Wyn ers y pnawn hwnnw yn y dre. Ydi o wedi anghofio amdana i?

'Yli, gafael ynddi, Gwenno,' medda Mam wrth fy ngweld i'n sefyll uwchben y llestri. 'Fyddwn ni byth yn barod a thithau'n breuddwydio.'

Rydw i wedi hen benderfynu nad oes gronyn o ramant yn perthyn i rieni er gwaethaf y gusan honno welais i, a'r babi newydd a phopeth. A dydyn nhw ddim yn trio deall teimladau'u plant. Mi fuasech yn meddwl y buasai hi wedi canfod fy mhoen meddwl, ac wedi holi'n garedig am Derec Wyn.

Tua amser cinio, fedrwn i ddim dal munud ymhellach. Mi benderfynais ffonio Derec Wyn. Jest i ddweud 'Hylo' a 'Sut Nadolig gefaist ti?' Rhyw fanion bach felly i'w atgoffa fy mod i â'm traed ar ddaear Cymru o hyd.

Mi fuo mi'n gogrwn yn ôl ac ymlaen i'r lobi ac yn trio magu dewrder calon am hydoedd ... hynny ydi, pob cyfle a gawn ni rhwng actio sgifi yn y gegin.

'Bendith tad iti,' medda Mam o'r diwedd. 'Os wyt ti eisio ffonio Siw, gwna. A phaid â threulio'r pnawn ar y ffôn. Mae o'n costio.'

Mi agorais fy ngheg i gyfadda mai Derec Wyn oeddwn i am ei ffonio ... ond mi ludiodd y geiriau yn fy llwnc i. Ac yn y diwedd, ffonio Siw wnes i.

'Siw? Na, mae hi wedi mynd allan,' medda'i mam. 'Hefo Prysor.'

'O ... diolch,' meddwn innau gan deimlo'n dalp o eiddigedd.

Wel, wedi clywed am Siw, fedrwn i ddim diodda mwyach. Mi lyncais fy mhoer a sythu f'asgwrn cefn, a deialo rhif Derec Wyn.

'Hylo! 2467. Pwy sy'n galw?'

Ei fam! Mi drawodd sychdwr Sahara fy ngheg i'n syth, a fedrwn i wneud dim ond anadlu fel petaswn i ar drengu a cheisio gorfodi'r geiriau oddi ar fy nhafod.

'Y ... y ...' anadl mawr 'y ... y ...'

'Hylo! *Hylo*!!' A dyma hi'n galw ar dad Derec Wyn. 'Llewelyn! Mae hon yn un o'r galwadau od 'na.'

A chyn imi ddŵad ataf fy hun a cheisio dweud gair rhesymol, dyma hi'n dechrau dweud y drefn.

'Os nad oes ganddoch chi ... pwy bynnag ydach chi ... rywbeth gwell i'w wneud na ffonio ac anadlu'n wirion, a thrio dychryn pobl ... (Dychryn?) ... yna mae'n hen bryd ichi gallio. Mae'n warthus o beth na fedr rhywun fwynhau diwrnod tawel yn ei chartre ei hun, heb i ffyliaid fel chi chwara'n wirion. Ydach chi'n fy nghlywed i? Ac os nad ewch chi oddi ar y ffôn y funud 'ma, mi anfona i am yr heddlu. Fyddan nhw fawr o dro cyn eich setlo chi. Ac mi fuasai'n bleser mawr gen i 'u cynorthwyo nhw.'

'Y . . . y . . .'

A dyma hi'n rhoi'r ffôn i lawr, a finna'n ffŵl syfrdan ar y pen arall.

Wel, wedi profiad ysgytwol fel'na doedd gen i fawr o awydd trio eilwaith. Wir, bron na ddywedwn i y dioddefwn i dor calon am weddill f'oes cyn trio'i ffonio fo eto.

Ddaeth 'na ddim gair oddi wrth Siw trwy'r dydd . . . nac oddi wrth Derec Wyn. Mi fetia i 'u bod nhw'n eu mwynhau eu hunain a minnau'n slafio. Roedd 'na gwmwl du iselder uwch fy mhen i am weddill y dydd, ond doedd gan neb ddigon o ddiddordeb i sylwi mor friwedig oedd fy nheimladau i.

'Gwenno, gwisga dy ffrog las iti gael bod yn dwt yn y parti.'

'Gwenno, cofia frysio i agor y drws i bawb. Mae'n rhy oer i bobl sefyll ar stepan drws.'

Beth am Llŷr a Dad, yn neno'r tad? Ydi'r parlys arnyn nhw, neu rywbeth?

'Gwenno, gofala fod pawb hefo platiau llawn . . . a chofia siarad yn iawn hefo pobl. Dim o dy fwmian arferol, neu mi fydd pawb yn meddwl fod nam ar dy leferydd di.'

Rargol, mi roeddwn i'n ddiflas fflamia. A phetaswn i wedi cael hanner cyfle mi fuaswn wedi fy nghau fy hun yn y llofft, a gwrthod dŵad allan tan y flwyddyn nesaf. Doedd ond pedair awr i fynd.

Wn i ddim sut y bu imi fyw trwy'r gyda'r nos. Dydi parti oedolion yn ddim ond bwyta a siarad ac yfed a chwerthin am ben jôcs sychion. Mi roeddwn i'n teimlo fel pysgodyn allan o ddŵr, heblaw fy mod i'n poeni am Derec Wyn . . . ac yn ofni ei fod o wedi cael gafael ar gariad arall.

Am mai gwallt du sydd ganddo fo, mi aeth Mr Preis

allan ychydig funudau cyn hanner nos, er mwyn iddo gael croesi'r trothwy â lwc clapyn o lo hefo fo.

Yna roedd pawb yn cusanu'i gilydd ac yn gweiddi 'Blwyddyn Newydd Dda.' Ac yng nghanol yr helynt, mi ganodd y ffôn. Wel, doedd neb â digon o ddiddordeb i'w ateb, felly mi es i'n ddigon llegach i wneud trostyn nhw.

'Hylo! *Hylo*!' Roedd yn rhaid imi weiddi uwch clegar y parti.

'Y . . . y . . .' a distawrwydd.

'Nefi!' meddwn i wrthyf fy hun. 'Galwad od go iawn.'

Biti na fuaswn i'n medru rhoi llond ceg i bwy bynnag oedd yna, run fath â mam Derec Wyn.

'Pwy sy 'na?' meddwn i'n reit ffyrnig. Fedrech chi ddim bod ofn hefo llond tŷ o bobl.

'Gwenno? Blwyddyn Newydd Dda.'

Derec Wyn! Mi fuo bron imi â sniffian crio o ddiolchgarwch yn ei glust, ond fy mod i wedi fy rheoli fy hun mewn da bryd a cheisio ymddangos yn ddi-hid. Does dim eisio rhedeg ar ôl bechgyn, yn enwedig pan maen nhw wedi'ch anwybyddu am ddyddiau.

'Blwyddyn Newydd Dda,' meddwn i'n ôl yn reit sidêt.

'Sori na ffoniais i ynghynt. Rydw i wedi bod i ffwrdd. Yn aros hefo modryb.'

Mi lifodd 'na afon felys braf tros fy nghorff i. Wedi bod i ffwrdd . . . nid wedi anghofio . . .

'O . . . wel, rydw i wedi bod yn rhy brysur i ddyfalu,' meddwn i'n dalog. Doeddwn i ddim am iddo feddwl fy mod i wedi'i golli am eiliad.

'Mi ddo i yna fory. Ddoi di allan?'

Roedd yn un o'r gloch arna i'n dŵad i fy ngwely, ond fedra i gysgu 'run winc. Tudalen ddiwetha'r hen ddyddiadur ydi hon, ond mae fory . . . heddiw'n . . . dudalen newydd . . . ac mi rydw i'n ei dechrau hi hefo Derec Wyn. Hwrê!

Diwrnod cyntaf blwyddyn newydd sbon. Fy mlwyddyn i a Derec Wyn! Mae o'n deimlad rhyfedd . . . dechrau ar flwyddyn newydd. Yn enwedig pan oeddech chi'n teimlo mor hapus ar ddiwedd yr hen un. Fel pe buasech chi'n ofni rhoi'ch troed ar eira glân.

Mi ffoniodd Siw.

'Hei, Gwenno! Blwyddyn Newydd Dda.'

'A thitha.'

'Wyt ti wedi gwneud rhestr addunedau?'

Wel, dyna'r funud gyntaf imi feddwl am y peth.

'Ddim eto.'

'Wel, rhaid iti'u gwneud nhw y bore 'ma, neu fyddan nhw ddim yn cyfri.'

'Ffŵl Ebrill ydi hynny'r het!'

'Wel, gwna nhw rŵan i wneud yn siŵr, te?'

O wel! Y bore amdani, ta, meddwn i wrthyf fy hun. Jest rhag ofn mai Siw oedd yn iawn. Ac mi es i fyny i'r llofft yn reit slei a chau'r drws arnaf fy hun i feddwl.

A dyma nhw, ffrwyth hanner awr o feddwl ac ystyried.

Penderfyniadau Gwenno Jones, pedair ar ddeg ond deufis, sydd yn ei llawn bwyll a'i synhwyrau arferol . . . ac a sgrifennwyd ganddi hi ei hun am 10.30 o'r gloch y bore, ar y cyntaf o Ionawr, ar ddechrau blwyddyn dyngedfennol yn ei bywyd.

(1) Rydw i am garu Derec Wyn tra bydda i byw.

(2) Rydw i am weithio'n galetach yn yr ysgol . . . am fod digon ym mhen Derec Wyn, a dydw i ddim eisio ymddangos yn dwp.

(3) Rydw i am fynd i weld Nain Tawelfa'n amlach, er ei bod hi'n grintachlyd ac yn finiog ei thafod.

(4) Wna i ddim ffraeo hefo Llŷr . . . hynny ydi, os byhafith o, a pheidio â thynnu'n groes.

(5) Rydw i am ymdrechu i guddio fy niflastod hefo'r babi newydd.

(6) Rydw i am gofio am bobl newynog y byd . . . ac am wneud rhywbeth, wn i ddim be eto.

(7) Rydw i am lanhau fy llofft bob wythnos . . . ac am gadw fy nillad yn dwt yn y wardrob.

(8) Rydw i am gadw'n heini a byw yn iach . . . er mwyn Derec Wyn a'r sgert ddu!

(9) Rydw i (fedra i ddim peidio ag ailadrodd fy hun) am garu Derec Wyn tra bydda i byw.

Mi ges i bnawn grêt! Mi gyrhaeddodd Derec Wyn tua dau o'r gloch, ac mi aethon ni am dro bach i'r parc. Jest cerdded, a siarad am yr hyn a'r llall. Roedd y llyn wedi rhewi'n gorn, ac oni bai i mi'i rwystro, mi fuasai Derec Wyn wedi cerdded arno fo. Wel, doedd gen i ddim eisio'i golli a finnau ond newydd gael gafael arno fo, fel petai, ac mi rois i fy nhroed i lawr, a dweud 'Na' yn ddigon pendant.

Mi ges i funud fach ddigon annifyr wrth feddwl fod Derec Wyn yn licio dangos ei hun. Roeddwn i'n meddwl fod dipyn bach mwy o synnwyr cyffredin yn ei benglog o, ac yntau yn y pedwerydd dosbarth a phopeth. A pheth gwirion ydi gorchestu, yntê?

Ond fel'na mae bechgyn, medda Siw. Ac mi rydw i'n dechrau meddwl ei bod hi'n iawn hefyd, er nad ydw i'n licio gweld brycheuyn yn perthyn i Derec Wyn.

Mi gafodd goffi yn ein tŷ ni wedyn, er bod Mam a Dad yn dal i sbïo braidd yn gam ar y berthynas.

Dydd Llun, Ionawr 2ail

Penderfyniad 7. Mi es i ati i droi fy llofft tu chwyneb allan. Twtio'r drôrs, taflu hen gosmetigs, a thynnu llwch ar fy recordiau. Roedd Mam yn credu'n sicr fy mod i wedi cael troedigaeth.

Dydd Mawrth, Ionawr 3ydd

Siw wedi dychryn wrth weld llofft mor dwt. Gofyn oeddwn i'n disgwyl y frenhines. Mi ddeudais i wrthi hi am beidio â bod mor wamal, a finnau wedi troi tudalen newydd.

'Be wnest ti addunedu, ta?'

'Dydw i ddim am ddweud.'

'Tyrd, y gwael. Mi ddeuda i os deudi di.'

Roeddwn i ar gyfyng-gyngor beth i'w wneud. Ond cytuno i ddatgelu nghyfrinachau wnes i. Efallai y bydd yn haws cadw atyn nhw am fod rhywun arall yn gwybod.

Dydd Mercher, Ionawr 4ydd

Dyma ail ddiwrnod gorau fy mywyd i! Mi ofynnodd Derec Wyn imi fynd i'w gartre y pnawn 'ma. Mi ddaeth 'na nam ofnadwy ar fy llwnc i pan ffoniodd o i ofyn, ac mi fuo'n rhaid iddo ddweud fy enw ddwywaith cyn imi fedru dŵad tros y sioc.

'Tyrd i'r dre. Mi ddisgwylia i di wrth y cloc.'

'O . . . O'r gora.'

Wel, mi safais i fel delw yn y lobi a'r derbynnydd yn fy llaw. A'r adeg honno y dechreuais i grynu braidd. Roeddwn i'n cofio am yr alwad ffôn honno wnes i, ac am ei fam yn meddwl mai galwad od oedd hi, ac yn dweud y drefn. Tybed wnâi hi adnabod fy llais?

Wel, siawns mul, meddwn i i'm cysuro fy hun. Fedrwch chi ddim adnabod llais os mai'r cyfan ddywedon nhw oedd 'y . . . y' yn na fedrwch? Ac yna, dyma fi'n dechrau poeni beth i'w wisgo. Roeddwn i wedi clirio fy llofft echdoe, ac wedi taflu popeth i'r fasged ddillad budr. Oedd Mam wedi'u golchi? Panig pur!

Mi redais am y cefn fel peth gwirion a dechrau palfalu yn y fasged olchi.

'Be ar y ddaear wyt ti'n ei wneud, Gwenno?' medda Mam.

'Ble mae fy nghrys T gwyn i, a'r jîns gora?' mi lefais o berfeddion y fasged.

'Wedi'u golchi, siŵr iawn, ond heb eu smwddio,' medda Mam.

'Ond mae'n rhaid imi'u cael nhw. Rydw i'n mynd i dŷ Derec Wyn y pnawn 'ma.'

'Wel, mae'n well iti afael ynddi, ta.' A dyma hi'n mynd yn ôl i'r gegin i yfed ei choffi a darllen y papur.

'Ond, *Mam*!'

Fasa waeth imi weiddi 'Wel!' wrth gwt awyren Concorde ddim. Roedd hi'n fyddar hollol. Ac mae'n gas gen i smwddio.

Wel, erbyn imi stryffaglio i smwddio popeth heb grychau ynddyn nhw, troi fy nrorau twt wyneb yn isaf i chwilio am sanau glân a gorfod bodloni ar bâr â thwll ynddyn nhw, rhuthro i fwyta fy nghinio, golchi'r llestri i blesio Mam, gaddo dŵad yn ôl mewn da bryd, a gaddo byhafio fy hun mewn tŷ diarth rhag ofn i rieni Derec Wyn feddwl mai cartre bethma oedd gen i, roedd fy nerfau i'n rhacs! Ac mi roeddwn i'n gadach llestri glân yn disgyn oddi ar y bws yn y dre, a nhu mewn i'n rowlio fel peiriant golchi.

'Tyrd i mewn, Gwenno,' medda Derec Wyn wedi inni gyrraedd y tŷ.

Roeddwn i ar fin dweud wrtho fo fy mod i'n trio fy ngorau, pan ludiodd y geiriau yn fy llwnc i wrth imi ganfod y lobi. Sôn am gyfoethogrwydd! Roedd fy llygaid i fel llynnoedd Eryri! Carped coch tywyll . . . andros o liw am ddangos baw, medda Mam bob amser . . . muriau o ryw bapur ffloc drud . . . a dodrefnyn anferth tebyg i seidbord yn slgein i gyd wrth y wal.

Mi ddechreuais i boeni am gyflwr fy sgidiau'n syth, achos roedd yna drwch modfedd o eira ar y stryd. A doeddwn i ddim eisio gwneud smonach o bethau ar ddechrau ymweliad, yn nac oeddwn?

'Hidia befo nhw,' medda Derec Wyn yn dalog wrth fy ngweld i'n trio sychu'r eira ar y mat bach tu allan, 'Mi fydd yn rhaid iti'u tynnu nhw yn y lobi.'

'*Be?*'

Mi fuo bron imi â llewygu yn y fan a'r lle. A minnau hefo *twll* fel lleuad Medi yn fy hosan! Ac wedi meddwl fy mod i'n berffaith saff, achos fyddai neb diarth yn gorfod tynnu'u sgidiau yn ein tŷ ni ... a'r hyn sydd wedi'i guddio, wel, pwy sydd i wybod amdano fo, tê? Ond mi'i dilynais i o fel oen bach i'r lladdfa. Mi wnewch *rywbeth* er mwyn cariad ... hyd yn oed dynnu'ch sgidiau a chithau'n poeni'n lwmp o achos twll yn eich hosan.

Mi ddaeth ei fam i'r lobi i'n cyfarfod.

'Tynnwch eich sgidia budr, Gwenno,' medda hi cyn fy nghyfarch i bron.

Roeddwn i'n gweddïo am iddi droi ei chefn rhag iddi weld fy modyn yn ymwthio'i ffordd allan fel nionyn Sbaen trwy flaen fy hosan. Ond dydi gweddïau fel'na byth yn cael eu hateb. A'r eiliad y tynnais i fy esgid, mi fedrwn deimlo fy mawd yn chwyddo'n chwysigen o flaen ei llygaid.

'Diar! Diar!' medda hi mewn llais digon fflat.

Diar, diar, am be, tybed? Am fod gen i dwll, ta am fod fy mawd i'n lliw piws hardd hefo'r oerni?

'Estyn slipas iddi, Derec Wyn,' medda hi.

Wel, fuo mi rioed mor falch o gael stwffio fy nhroed i ddim. Wedyn mi aethon ni trwodd i'r lolfa ac eistedd ar thri pîs felfed werdd, a dechrau sgwrsio'n gloff am yr hyn a'r llall. Ond mi ges i de ardderchog, er bod embaras yn mynnu cloi fy llwnc i.

Ac mi gofiais i eiriau Mam, a chynnig helpu i olchi'r llestri hefyd. A rywsut, yn y gegin, roeddwn i'n ei licio hi'n iawn, er fy mod i'n crynu fel deilen tu mewn rhag ofn imi ollwng rhywbeth.

'Diolch yn fawr ichi am y croeso,' meddwn i wrth ail-wisgo'n sgidiau i fynd adre.

'Gobeithio y gwelwn ni chi eto, Gwenno,' medda hithau'n reit glên.

Mi es i adra hefo fy mhen yn y gwynt. Y fi ydi cariad swyddogol Derec Wyn bellach. Hwrê!

Mae'r ysgol yn dechrau fory. Ych â fi! Ond Hwrê arall hefyd. Mi wela i Derec Wyn bob dydd!

Dydd Iau, Ionawr 5ed

Mi ges i ddiwrnod annisgwyl o ryddid. Os medrwch chi ei alw fo'n rhyddid hefyd. Mu fuo'n rhaid imi aros gartra i warchod Llŷr am 'i fod o hefo gwres ... a Dad yn gweithio, a Mam eisio mynd am brawf i'r ysbyty. Y busnes babi 'ma eto, wrth gwrs.

Ddaru Llŷr wneud dim ond cwyno trwy'r bore. Mi rois i ddwy dabled iddo fel y gorchmynnodd Mam, er mod i wedi dadlau'n gryf yn erbyn y fath beth. Joban beryg, meddwn i. Roedd o wedi dweud ar y teledu. Aspirin yn beryg i blant.

'Yli, Gwenno,' medda Mam. 'Rydw i wedi dy fagu di'n ddiogel. A siawns y gwn i be rydw i'n 'i wneud bellach.'

Wel, mi ddechreuodd Llŷr ar ei antics cyn i Mam gau'r drws ar ei hôl bron. Eisio diod, ei ben yn brifo, ei wddf yn brifo, ei fol yn brifo, roedd o'n teimlo'n boeth, roedd o'n teimlo'n oer! Roeddwn i'n ysu am ddweud wrtho fo am gau'i geg, ond fy mod i'n fy rheoli fy hun wrth gofio mai merch ifanc hefo cariad oeddwn i rŵan.

Poen ym mywyd rhywun ydi brawd bach. Os nad ydi o'n chwarae triciau arnoch chi, ac achwyn am bopeth wnewch chi, mae o'n swnian sâl a chithau'n gorfod ei warchod.

'Chwara gêm hefo fi, Gwenno.'

Wel, mi dendiais i arno fo nes roeddwn i'n lloerig. A fuo rioed fysedd cloc yn cropian mor araf.

71

'Eisio Mam,' medda fo wedyn. 'Ma mol i'n brifo.'

A dyma fo'n dechrau crio.

Mi ddechreuais i boeni dipyn bach wrth weld Mam mor hir. Nid poeni amdani hi, ond dechrau meddwl be fuaswn i'n 'i wneud petasai Llŷr yn mynd yn sâl o ddifri . . . a dim ond y fi yn y tŷ.

A mwya'n y byd yr edrychwn i arno fo, mwya'n y byd roeddwn inna'n ei boeni. A phan ddechreuodd o grio o ddifri, dyma fi'n penderfynu ei bod hi'n amser gweith-redu . . . a mynd am y llyfr doctor yn syth.

Mi ddychrynais i am fy mywyd pan ddechreuais i ddarllen. Roedd 'na gant a mil o bethau a allasai fod ar Llŷr . . . a phob un ohonyn nhw'n seriws!

Poen bol . . . Pendics, gastroenteritis, hernia.

Gwddw brifo. Tonsilitis, mumps.

Cur pen. Meningitis.

Gwres uchel. Roedd hwnnw hefo pob anhwylder, bach a mawr!

Pan edrychais i ar y cloc, roedd hi'n un ar ddeg, a dim golwg o Mam. Beth petasen nhw wedi'i chadw yn yr ysbyty?

'Eisio Mam,' cwynodd Llŷr am y canfed tro.

'Mi fydd hi yma rŵan,' meddwn inna heb fawr o obaith yn fy ngeiriau.

'Rydw i'n boeth,' medda fo wedyn a thaflu dillad y gwely o'r neilltu.

Wel, roeddwn i'n llwyr grediniol erbyn hyn fod rhywbeth mawr arno fo. Ac er y bydda i'n dweud y drefn am Llŷr o un pen wythnos i'r llall, doeddwn i ddim eisio i ddim byd ddigwydd iddo fo chwaith.

'Yli, Llŷr,' meddwn i, 'Rydw i am gymryd dy wres di.'

'Ddim eisio.'

'Mae'n rhaid iti, neu wnei di ddim mendio,' meddwn i'n reit sgut. 'Gad ti i mi gymryd dy wres di, ac mi gei fenthyg fy chwaraewr recordiau fory.'

Fedrwch chi ddim byw hefo brawd bach am flynydd-oedd heb wybod sut i'w drin, er ei fod o'n loes calon imi addo'r ffasiwn beth. Ond mi wnewch chi rywbeth mewn argyfwng.

Cant a thri! Mi edrychais i ddwywaith ar y thermomedr rhag ofn imi wneud camgymeriad . . . ond roeddwn i bron yn siŵr mai dyna oedd o . . . wedi imi graffu'n galed arno fo.

Dyma fi'n ôl at y llyfr doctor wedyn. Digon o ddŵr i'w yfed a paracetamol i leddfu'r symptomau, a bath blanced hefo dŵr claear i dynnu'r gwres i lawr, medda hwnnw. Wel, mi driais i fy ngorau, ond haws dweud na gwneud pan mae gynnoch chi frawd bach fel mul o benstiff.

Mi yfodd y dŵr yn ôl reit, a ddaru mi ddim trio rhoi'r paracetamol iddo fo am fy mod i'n gwybod fod eisio pedair awr rhwng pob ffisig. Wedyn yr aeth hi'n smonach glân . . . pan driais i roi bath blanced iddo fel y cyng-horai'r llyfr.

Mi ddodais i'r bowlen ddŵr yn ddigon teidi ar draed y gwely.

'Tyn dy byjama,' meddwn i, gan deimlo'n rêl nyrs wrth rowlio llawes fy mlows i fyny run pryd.

'Be wyt ti am ei wneud?' medda fo, a sŵn crio mawr yn ei lais.

'Rhoi bath blanced iti,' meddwn inna, wedi ymgolli mewn pictiwr neis ohonof fy hun . . . nyrs . . . ddel . . . broffesiynol . . . wybodus.

Mi fedrwn i fy ngweld fy hun yn cerdded yn bwrpasol trwy ward yr ysbyty, yn ymgynghori hefo'r meddygon . . . yn gafael yn llaw y cleifion.

'Na chei . . . na . . . na,' medda fo gan afael fel gelen yn y gynfas a rhoi cic eliffant sydyn nes roeddwn i'n lleden ar draed y gwely . . . ar ben y bowlen. Mi drodd honno a cholli'r dŵr fel rhaeadr Victoria tros y gwely.

Roeddwn i ar wastad fy nghefn yng nghanol y llanastr pan gyrhaeddodd Mam.

'Gwenno! Be aflwydd wyt ti'n ei wneud?' Mi daflodd y cwestiwn yn sarrug ata i.

'Edrych ar ôl Llŷr,' meddwn i'n ddigon diniwed.

'Hy!' medda hi gan edrych yn ddiflas i lawr ei thrwyn.

'Sâl ydi o . . .'

'Rydw i'n gwybod hynny'n iawn,' medda hi, 'ond fydd o fawr gwell wedi cael trochfa gen ti, yn na fydd?'

'Cicio ddaru fo . . .'

'Ma Gwenno'n gas wrtha i . . .'

Na, dydw i byth am gael babis . . . heb sôn am fabis wedi tyfu'n wyth oed.

Mi ffoniodd Derec Wyn gyda'r nos. Poeni fy mod i'n sâl, medda fo, a finnau ddim yn yr ysgol. Neis gwybod ei fod o'n meddwl amdana i.

Dydd Gwener, Ionawr 6ed

Doedd gen i fawr o flas cychwyn i'r ysgol a hithau'n ddydd Gwener. Er fy mod i'n edrych ymlaen at weld Derec Wyn.

Llŷr fel y gog y bore 'ma. Mi fetia i mai cael sbort am fy mhen i roedd o ddoe, ac nad oedd 'na fawr ddim ar y cena bach. Ond mae Mam am ei gadw fo yn ei wely, jest rhag ofn.

'Tyrd â dy chwaraewr i'n llofft i,' medda fo'n dalog pan oeddwn i ar fin ei gwadnu hi am y bws ysgol.

'Dim amsar,' meddwn innau, yn falch o gael esgus i fynd yn ôl ar fy ngair.

'Mam! Ma Gwenno wedi *gaddo*.' A dyma fo'n dechrau gwneud sŵn crio torcalonnus.

'Bendith tad, Gwenno, rho fo iddo fo,' medda Mam yn wantan.

Mae'i hwyneb hi fel y galchen heddiw eto, ond mae hi ddigon o gwmpas ei phethau er hynny.

'Ond, Mam! Sgin i ddim amser.'

Ond ei nôl o fuo'n rhaid imi, ac erbyn imi'i gario fo i lofft Llŷr, a brathu fy nhymer wrth iddo dynnu'i dafod allan arna i, mi fuo bron imi â cholli'r bws.

'Ble buost ti?' holodd Siw wrth ei gollwng ei hun ar y sedd ôl a dal ei bag yn benderfynol ar y sedd gyfagos rhag i neb eistedd yn fy lle i.

'Llŷr eisio benthyca fy chwaraewr recordia i,' meddwn inna yn llipa.

Os oes rhywbeth yn agos at fy nghalon ... heblaw Derec Wyn ... fy chwaraewr recordiau ydi hwnnw. Wn i ddim be ddaeth trosta i imi addo'r fath beth ddoe. Munud gwantan. Roedd Siw o'r un farn hefyd, am ei bod hi'n gwybod fod gen i gymaint o feddwl o'r chwaraewr ag sydd gan Aelod Seneddol o'i sedd yn San Steffan.

'A beth am ddoe, ta?' holodd Siw. 'Roeddwn i wedi bwriadu dy ffonio, ond mi alwodd Prysor.'

Am funud, a dim ond am funud, mi deimlais i'n reit eiddigus. Nid am fod Prysor wedi galw ... rydw i'n teimlo reit siŵr o Derec Wyn fy hun ... ond rhyw deimlad ei fod o'n dŵad rhwng Siw a minnau, a ninnau wedi bod cymaint o ffrindiau rioed. Ond ysgwyddo'r teimlad ymaith ddaru mi, a fy narbwyllo fy hun yr arhosai Siw a minnau'n glòs ... waeth beth a ddigwyddai.

Chefais i ddim cyfle i weld Derec Wyn cyn mynd i ystafell gofrestru'r dosbarth, er fy mod i wedi llygadu'r iard mewn gobaith. Ond mi wellhaodd pethau ganol dydd, achos mi ges i ginio wrth ei ochr ... ac mi aethon ni i lawr i'r dre wedyn. Mi roedd y gwynt fel cyllell, ac wrth weld fy nannedd i'n clecian, mi afaelodd Derec Wyn amdana i'n glòs, glòs, Mmm! Nefoedd! Ys gwn i oedd Gwen rywle'n agos i weld?

Mi brynodd o far Wispa imi hefyd, ac er fy mod i'n ben-derfynol o wylio fy mhwysau, does gen i ddim calon i'w wrthod. Prun bynnag, doedd gen i ddim arian i brynu un fy hun. Mae'n rhaid gen i fod teulu Derec Wyn yn arian o'u botwm bol i'w clustiau!

Roedd gan Derec Wyn ddolur gwddf. Mi ddeudais i dipyn o'r drefn wrtho fo. Ddaru fo ddim crybwyll y peth nes inni gyrraedd yn ôl o'r dre.

Y peth cynta wnes i wedi cyrraedd adre oedd cael golwg ar y chwaraewr recordiau, rhag ofn fod Llŷr wedi'i dorri fo. Mi'i lladdwn i o petasai fo wedi gwneud, er gwaethaf yr olwg angylaidd dorcalonnus fydd ar ei wyneb pan fydd o wedi gwneud drwg. Dydi o ddim yn deg, yn nac ydi? Bod hefo brawd bach gwallt melyn cyrliog a llygaid glas . . . a minnau hefo llond gwlad o frychni haul ar fy nhrwyn. Ond mae'n rhaid fod Derec Wyn yn eu licio nhw, neu fuasai fo ddim wedi sbïo arna i. Rydyn ni am fynd i'r dre fory. Mae gen i deimlad fod y gusan 'na'n dŵad yn nes . . . ac yn nes! Rydw i wedi bod yn astudio'u techneg nhw ar y teledu, ac mi rydw i'n tybio y medra i ymateb yn deilwng i'r sialens rŵan.

Soniais i run gair am y babi wrthyn nhw yn yr ysgol . . . ddim hyd yn oed wrth Siw.

Dydd Sadwrn, Ionawr 7fed

Mi fagais i ddewrder i holi am Derec Wyn ar ôl brecwast. Jest rhag ofn fod ei ddolur gwddf yn waeth.

'Hylo! 2467. Pwy sy'n galw?'

Llais ei fam. Mi roddodd fy stumog i dro sydyn, ond roedd fy nghalon i dipyn cryfach i ddal y sioc y tro yma . . . a minnau wedi'i chyfarfod a phopeth.

'Gwenno sy 'ma. Y . . . ydi Derec Wyn yn ôl reit? Roedd dolur gwddw ganddo ddoe.'

'O . . . Gwenno, chi sy 'na?'

Wel, roeddwn i newydd ddweud hynny wrthi, on'd oeddwn?

'Ia.'

'Mae o newydd fod at y doctor. Tonsilitis. Dydw i'n synnu dim chwaith. Mae o'n cael trwbl hefo'i wddw ers pan oedd o'n blentyn. Rhaid iddo fo swatio tros y penwythnos 'ma.'

Mi suddodd fy nghalon pan glywais i. Dyna 'ta ta' i'w gyfarfod yn y dre. Roeddwn i'n rhyw hanner gobeithio y buasai hi'n fy ngwadd yno i gysuro Derec Wyn, neu o leiaf yn ei alw at y ffôn. Ond ddaru hi ddim.

'Mi ddeuda i eich bod chi wedi ffonio, Gwenno,' medda hi.

Wel, anialwch o ddydd Sadwrn, meddwn i wrthyf fy hun, a pharatoi i lenwi'r diwrnod orau ag y gallwn i. Sut . . . wyddwn i ddim.

Mi gerddais yn ôl i'r gegin yn ddigon penisel.

'Derec Wyn yn sâl,' meddwn i.

'O . . . ydi o?' medda Mam.

'Sgin i ddim byd i'w wneud,' meddwn i wedyn mewn llais llawn grwgnach.

A phrin roeddwn i wedi agor fy ngheg nad oedd Dad yn neidio o'i gadair ac yn gweiddi'n ffyrnig,

'Diolcha fod gen ti ysgol i edrych ymlaen ati ddydd Llun . . .'

A dyma fo'n ffwdanu'i ffordd am y drws a'i ben i lawr.

'MYRDDIN!' medda Mam gan hanner codi o'i chadair, yna suddo'n ôl drachefn.

Mi feddyliais i ei bod hi bron â chrio oddi wrth yr olwg oedd ar ei hwyneb hi.

'Dew, . . . be sy?' meddwn i.

Ddaru Mam ddim ateb, ddim ond codi a gafael yn ei chwpan a soser, a mynd â nhw at y sinc. Dyma hi'n troi'r tap a'u golchi nhw drosodd a throsodd fel pe buasai hynny'r peth pwysicaf yn y byd.

'Mam?'

Wyddwn i ddim beth i'w wneud. Os oedden nhw wedi cael ffrae, yna doeddwn i ddim am ymyrryd yn eu busnes

77

nhw. Ond mi ddisgynnodd fy nghalon yn chwap i'n sgidiau wrth feddwl tybed oedden nhw'n ffraeo digon i wahanu . . . a'r babi ar ei ffordd a phopeth.

'Be sy?' meddwn i eto.

Ysgwyd ei phen ddaru Mam a dal i blygu uwchben y sinc. Wel, mi welais fod yn rhaid imi fod yn feistrolgar os oeddwn i am gael eglurhad.

'Dowch â hi i mi,' meddwn i gan gymryd y cwpan oddi arni, 'ac eisteddwch.'

A dyma hi'n ufuddhau'n llipa. Fe suddodd i'r gadair ac edrych fel pe buasai hi'n gweld anialwch Sahara o'i blaen.

Mi roeddwn innau'n teimlo fel petaswn i'n trio gwasgu dŵr o garreg erbyn hyn.

'Be sy . . . Mam?' holais eto.

'Waeth iti gael gwybod ddim,' medda hi o'r diwedd gan sbïo i lawr ar y bwrdd a phlygu ac ailblygu cornel y lliain bwrdd. 'Ma dy dad wedi'i ddiswyddo. Cwmni newydd yn cymryd trosodd . . . a . . . a . . .' dyma hi'n dechrau crio . . . 'Maen nhw wedi'i daflu fo ar y clwt. Wedi'r holl flynyddoedd.'

Fe lanwodd rhyddhad fy mol i.

'O . . . *hynny*!' meddwn i.

'Hynny, ddywedaist ti? *Hynny*! Dy dad ar y domen sbwriel . . . morgais eisio'i dalu . . . a . . . a . . .' dyma'i hwyneb hi'n crebachu'n dorcalonnus . . . 'finna'n disgwyl b . . . b . . . babi.'

A dyma'i dagrau yn dechrau powlio o ddifrif.

Dal dy ddŵr, Gwenno, meddwn i wrthyf fy hun. Mae'n rhaid i rywun fod fel craig o gadarn yn y tŷ 'ma. Ond rhyw deimlo'n ddigon bethma roeddwn i wrth weld y ddau ohonyn nhw'n torri lawr fel'na. Rhywsut, rydych chi'n disgwyl i'ch rhieni fod â digon o brofiad i wynebu treialon bywyd heb wegian.

'Hidiwch befo, Mam,' meddwn i gan roi fy mraich

amdani'n gysurlawn. 'Mi ddaw petha'n well, mi gewch chi weld. Mi fydd Dad yn siŵr o gael joban arall.'

Sniffio fel plentyn bach ddaru hi.

'Ia, o . . . ond beth petasai fo ddim? Dynion ifanc ma'r cwmnïau 'ma eisio rŵan, nid rhai canol oed.'

Mi sychodd ei dagrau a thrio gwenu.

'Gwenno bach,' medda hi. 'Dydi o ddim yn deg inni dy boeni di hefo'n problemau. Ond mae gen i ofn na fydd ceiniog sbâr yn y tŷ 'ma'n fuan.'

'Ond mi rydych chi'n gweithio . . .'

Mi ddifarais i'n syth . . . wedi imi gofio am y babi.

'Am ba hyd, Gwenno?' medda hi a chodi'n sydyn i'w phrysuro'i hun wrth y sinc.

Wel, mi ddringais y grisiau mewn myfyrdod dwys. Roedd hi'n llanastr llwyr yn y tŷ 'ma, mi allwn weld hynny'n syth, ac roedd yn rhaid i rywun dorchi'i lewys ac ymaflyd mewn pethau. Mi agorais ddrws y llofft . . . a phwy oedd yn gorwedd yno fel petasai piau hi'r lle ond Modlan . . . a hynny ar fy nghoban gotwm orau i. Wel, dydw i ddim yn ffansïo cysgu mewn coban a honno'n flew cath i gyd. Ac erbyn imi erlid Modlan . . . a'i galw hi'n hanner dwsin o enwau go liwgar pan ddihangodd hi o dan y gwely, a mynd â hi'n benderfynol i lawr y grisiau wedyn a'i gorfodi'n sypyn cripiog trwy ddrws y cefn . . . roeddwn i wedi dŵad ataf fy hun ychydig wedi sioc y bore. Ac mi eisteddais i lawr i feddwl sut y gwnaen ni'r gorau o bethau fel ag yr oedden nhw.

10.30 . . . Gwenno'n pendroni.

11.30 . . . Gwenno'n dal i bendroni.

12.00 . . . Dim sôn am ginio, felly mynd i lawr i'w hatgoffa nhw fod yn rhaid bwyta i fyw . . . di-waith neu beidio. Sŵn siarad mawr o'r lolfa. Clustfeinio ychydig tu allan i'r drws . . . ond deall run gair. Penderfynu mynd i'r gegin a gwneud brechdan gaws i mi fy hun. Does dim angen inni lwgu yn y lle 'ma, yn nac oes?

Llŷr yn rhuthro i mewn yn wlyb o eira.

'Ew! Wedi cael sgarmes eira grêt hefo Garmon tros ffordd.'

'Yli'r cena bach,' meddwn i. 'Does ond dau ddiwrnod ers pan oeddwn i'n rhoi tendars iti yn dy wely. Ydi Mam yn gwybod dy fod ti allan?'

'Nac ydi siŵr,' medda fo'n fflons i gyd. 'Welis i mohoni ers pan godis i.'

Ac yna dyma fo'n sbïo'n hurt o gwmpas y gegin.

'Ble ma'n nhw? Ble ma cinio?'

'Tyn dy ddillad gwlyb,' meddwn inna'n awdurdodol, 'ac mi wna i frechdan gaws iti.'

'Brechdan gaws? Ond mi fydda i'n cael wŷ a sglodion ar ddydd Sadwrn. *Pob* dydd Sadwrn!'

'Brechdan gaws heddiw, a dim o dy swnian di,' meddwn i'n galon galed.

'Chymra i mohoni,' medda fo yr un mor bendant. 'Wŷ a sglodion ydw i'u heisio.'

Mi welais i'n syth fod yn rhaid imi roi nhroed ar y llwybr iawn . . . a chadw ato.

'Fyny i ti,' meddwn i. 'Brechdan gaws, neu ddim.'

'Mam. Ble ma Mam?'

'Busnes i'w drafod. Dim amser,' meddwn i eto . . . ac yn teimlo'n rêl cawres am fy mod i'n gwybod . . . ac yntau ddim!

Gwgu ddaru fo, ond bwyta'r frechdan.

Roeddwn i'n ddigon diflas fy myd trwy'r pnawn rhwng popeth. Derec Wyn yn sâl, Dad allan o waith, Mam yn disgwyl babi. Roedd y problemau'n eu pentyrru eu hunain o nghwmpas i. Ond dydw i ddim yn un i orwedd i lawr o flaen anawsterau . . . neu dyna a ddywedais i wrthyf fy hun.

11.30 gyda'r nos. Gwenno'n dal i bendroni.

Dydd Sul, Ionawr 8fed.

Mi ddeffrois gyda fflach o syniad ardderchog. Os oedden ni am fod yn brin o arian, wel, y cam cynta oedd chwilio am ffyrdd i arbed y ceiniogau, yntê?

Ew! meddwn i wrthyf fy hun. Rydw i'n perthyn yn reit agos i Nain Tawelfa, yn tydw? Mi fuasai hi wrth ei bodd petasai hi'n gwybod am y crafu pen a'r dyfalu fuo mi trwyddo trwy'r nos bron.

Does dim eisio gwario dwy lle mae ceiniog yn gwneud y tro, medda Nain. Ac yn ddistaw bach, os ydi arbed hyd yn oed y geiniog honno yn cyd-fynd â'ch dyhead chithau . . . wel, gorau oll, yntê?

Mi godais yn dalp o frwdfrydedd. Doeddwn i rioed wedi licio Mrs Wynford Rees, na hithau finna er ei bod hi wedi stryffaglio i ddysgu'r piano imi ers blynyddoedd.

Daliwch eich garddwn yn fflat, Gwenno. Practeisiwch eich scales, Gwenno. Tri chwarter awr bob nos, Gwenno. Anweswch y nodau wrth chwarae, ddim eu llabyddio nhw, Gwenno. Mi ddioddefais i ganwaith . . . a hynny ddim ond er mwyn pasio y Drydedd Radd hefo'r union gant! (Nid na fuaswn i wrth fy modd hefo 'bwrdd miwsig', chwaith. Mi fedrwch wneud pob math o bethau hefo hwnnw.)

'Dad!' meddwn i cyn gynted ag y cyrhaeddais y gegin. 'Mi ro i'r gorau i wersi piano. Edrychwch arian wnewch chi'u harbed.'

Mi edrychodd Dad yn reit syn am eiliad, ac yna fe led-aenodd gwên fach gyndyn dros ei wyneb.

'Lladd dau dderyn hefo'r un ergyd, Gwenno?' medda fo.

Yna mi estynnodd ei law a rhwbio ngwallt i'n garuaidd. Ac yn sydyn, roeddwn inna bron â chrio . . . wn i ddim pam.

'Dydi petha ddim mor ddrwg â hynna eto, ysti.'

81

'O . . . ond rŵan ma dechrau arbed. Llunio'r waden fel bo'r troed, medda Nain.'

Mi wenodd Dad yn gynnil eto.

'O . . . ia. Dy nain.'

Mi drodd at Mam, a dweud . . .,

'Mi fydd yn rhaid inni ddweud wrthi, yn bydd?'

Roedd golwg well ar Mam y bore 'ma. Efallai fod y salwch bore'n dechrau clirio. Gobeithio, achos mae hi'n ailddechrau gweithio fory.

Doeddwn i ddim eisio bod yn galon galed . . . ond mi fyddai angen pob ceiniog yn y tŷ 'ma o hyn ymlaen.

'Gad o am dipyn, Myrddin,' medda Mam. 'Dwyt ti ddim wedi cael cyfle i drio am swydd arall eto. Be wyddost ti . . . efallai na fydd angen dweud dim wrthi, ond dy fod wedi newid cwmni.'

Mi wrandewais â'm ceg yn agored. A meddwl yr holl droeon roeddwn i wedi cael y drefn am ddweud celwydd . . . a'r rheiny ddim ond celwyddau bach . . . hanner y gwir. A dyma nhw rŵan yn gwneud yr un peth yn union. Wna i byth ddeall rhieni, na wna wir.

'Ond mae gan Nain hawl i gael gwybod,' meddwn i.

'Hawl?' medda Mam yn ffrwydrol. 'Does gan neb hawl i fusnesu ym mywyd rhywun arall heb wahoddiad.'

Wel, roedd hynny'n un ffordd i sbïo ar bethau, ond chwarae teg i Nain, rydw i'n siŵr y buasai hi o'n plaid ni, gant y cant. Mae gwaed yn dewach na dŵr, yn tydi?

Ac yna mi gofiais am y babi. Dyna ddau beth i'w cuddio oddi wrth Nain. Efallai y buasai'n well imi beidio â mynd yno, rhag ofn imi adael i rywbeth lithro heb feddwl . . . yn enwedig a Nain yn un mor dda am holi.

Newydd sylweddoli . . . feddyliais i fawr ddim am Derec Wyn trwy'r dydd.

Dydd Llun, Ionawr 9fed.

Roeddwn i'n hynod o benisel yn dal y bws ysgol. Rhyw deimlad od oedd gadael y tŷ . . . Mam, Llŷr a minnau . . . a gwybod fod Dad fel adyn bach yno ar ei ben ei hun.

'Wnei di olchi'r llestri, Myrddin, gan dy fod ti gartra?' medda Mam fel y prysurodd i nôl ei chôt. 'Ac os cei di gyfle, plicia'r tatws imi hefyd.'

Daliwch arni, meddwn i wrthyf fy hun wrth weld wyneb Dad a theimlo fy nghalon yn toddi drosto. Rhwbio halen i'r briw ydi peth fel'na.

'Ia, mi rydw i'n ddigon da i wneud hynna, mae'n siŵr,' medda fo'n drymaidd.

Ond roedd Mam ar ormod o frys i gymryd sylw, a ddaru hi ddim ond pletio'i gwefusau am eiliad cyn prysuro o'r tŷ a ninnau wrth ei chwt.

'Be felltith sy arnat ti?' holodd Siw wrth fy ngweld i'n fudan wrth ei hochr yn y bws.

'B . . . be? O, sori,' meddwn i yngholl yn fy meddyliau.

'Wel, tywallt dy farblis imi gael eu cyfri nhw.'

'Y . . . yy?'

'Spill the beans. Bwrw dy fol. Tywallt y cwbl o flaen dy ffrind. I ddweud yn blaen . . . dweud be sydd. Gad i Anti Siw dy helpu.'

Fedrwn i ddim peidio â gwenu er fy mod i'n boddi mewn digalondid. Roedd eisio dewin i ddatrys problemau ein tŷ ni.

'Wel . . .,'

'Mi wn i. Derec Wyn sydd wedi cael cariad arall. Pam arall y buasai gen ti wyneb mor hir?'

'Na . . . a.' Yn sydyn roeddwn i'n teimlo fod yn rhaid imi gael dweud y cyfan wrth rywun. 'Mae Dad wedi colli'i waith . . .'

'*Sgribliwns!*'

'Ssh! Gwaeth na hynny . . . mae Mam yn disgwyl.'

'Disgwyl? Disgwyl be?'

Yna mi syrthiodd ei gên at ei glin.

'*Babi*!'

'Ia.'

Mi gyrhaeddodd y bws yr ysgol cyn imi ddweud ychwaneg. A phwy oedd yn disgwyl wrth y drws ond Derec Wyn.

Wrth gwrs mi roeddwn i'n falch o'i weld. Wrth gwrs fy mod i. Ond pan rydych chi newydd fwrw'ch bol wrth eich ffrind, does dim angen cymhlethdod arall y funud honno.

'Gwenno!' medda fo a'i wyneb yn wên i gyd.

'O . . . hylo. Wyt ti'n well?' meddwn i . . . yn ddigon digyffro a dweud y gwir.

Mi edrychodd arna i yn union fel yr edrychodd Dad ar Mam y bore 'ma. Fel pe buasai o wedi cael ei glwyfo i'r byw.

Daria hogiau. Mi fuo bron imi â dweud nad oedd gen i amser i nyrsio'i deimladau briwedig, ond mi sylweddolais mewn da bryd mai Derec Wyn . . . *fy nghariad* . . . oedd o. Ac er fy mod i tros fy mhen a'm clustiau mewn argyfwng teuluol, doeddwn i ddim eisio ymddangos yn ddideimlad rhag ofn i Gwen gael ei chrafangau ynddo fo. Roedd hi'n trio'n ddigon caled fel roedd hi heb i mi roi help llaw iddi.

'Neis dy weld ti,' meddwn i a gwenu'n reit garuaidd arno fo. 'Roeddwn i'n siomedig Dydd Sadwrn. Mi ddaru mi ffonio. Ddeudodd dy fam rywbeth?'

'Do.'

Mi gerddodd ton o wrid sydyn tros ei wyneb.

'Sori na ddois i at y ffôn. Fel'na ma Mam. Yn fy nhrin i fel plentyn bach pan fydd rhywbeth arna i.'

'A Mam hefyd.'

Wn i ddim am ba hyd y buasen ni'n sefyll yno yn sbïo ar ein gilydd, ond i Siw roi pwniad cïaidd imi.

'Siapia hi,' medda hi rhwng ei dannedd. 'Y ni ydi'r dwytha'n mynd i mewn.'

'Mi wela i di amser cinio,' meddwn i'n frysiog a'i gwadnu hi wrth sodlau Siw am yr ystafell gofrestru.

Chafodd Siw a minnau ddim amser i siarad gair tan y seibiant canol bore. Mi afaelodd hi yna i cyn gynted ag yr aeth y gloch a'm tynnu'n sypyn heglog ar ei hôl hyd y coridor.

'Brysia! Rho dy gôt cyn i Gwawr a Gwen ddŵad.'

Mi gawson ni gongl reit snec i ni'n hunain yn yr iard.

'Deuda eto. Be ddeudaist ti ar y bws?' gorchmynnodd Siw.

'Ond mi glywist ti'r tro cynta. Mam yn disgwyl babi . . . Dad wedi colli'i waith.'

Mi sniffiais grio braidd wrth feddwl mor anobeithiol oedd pethau gartref. Ond pan lygadodd Siw fi'n amheus, mi chwythais fy nhrwyn a chwyno pa mor oer oedd hi.

'Be dach chi am ei wneud?' holodd Siw. 'Ma dy dad yn siŵr o gael gwaith arall, yn tydi?'

'Wn i ddim,' oedd yr unig ateb fedrwn i ei roi iddi. 'Mi fydd yn rhaid i rywun weithio yn y tŷ acw . . . a chaiff Mam ddim gweithio'n hir. Am wn i.'

Dyna oedd y drwg, 'tê? Doeddwn i ddim yn gwybod. Am ba hyd y caiff gwragedd weithio pan maen nhw'n disgwyl? Ydi hi'n saff i ddynes tros ei deugain ddisgwyl babi a gweithio? Ydi hi'n anodd i ddynion yn tynnu am eu hanner cant gael gwaith?

'Pam na wnei *di* chwilio am waith?' holodd Siw yn sydyn.

'Be?' Mi sbïais arni'n syn. 'Y fi? Sut fath?'

'Geneth bapur newydd, siŵr iawn. Ma Wil Siop Magi eisio un. Mae 'na hysbyseb yn y ffenest.'

Roeddwn i'n teimlo fel pe buasai pwysau'r byd wedi diflannu oddi ar fy ysgwyddau i.

'Dyna'r cam cynta,' meddwn i wrthyf fy hun. 'Joban i Gwenno i ysgafnhau'r baich.'

Mi benderfynais alw hefo Wil Siop Magi ar y ffordd adra. Taro tra mae'r haearn yn boeth, fel bydd Nain Tawelfa yn ei ddweud. Wn i ddim beth ddigwyddodd i weddill y bore, hyd yn oed gwers Gymraeg Wati, er y bydd hwnnw'n tantro uwch fy mhen fel arfer. Roeddwn i'n brysur yn fy ngweld fy hun yn trefnu Wil Hughes a'i siop ac yn rhannu papurau newydd mor brydlon â thrawiad cloc i drigolion yr ardal. Mi fyddwn i'n gwisgo fy siwt loncian las a gwyn, mi gollwn i bwysau i ffitio'r sgert ddu seis 10, ac mi fyddai gan nhad a Mam feddwl y byd ohona i.

Mi fu'r diwrnod fel blwyddyn, ond o'r diwedd mi gefais i ddal y bws am adre. Mi ddisgynais yn y stryd fawr . . . esgus siopio i Mam wrth y dreifar, a hwnnw'n ddigon cuchiog. Paldaruo ei fod yn gyfrifol am fynd â mi i'r stop arferol . . . mi gollai ei swydd os clywai'r awdurdodau . . . a rwdl felly. Ond mi wenais i'n reit ddel arno fo a smalio fod salwch yn y teulu (os ydi disgwyl babi yn salwch hefyd) a bod yn rhaid imi gael bara a ballu. Neb ond y fi i wneud, meddwn i.

Mi ges i groeso tywysogaidd gan Wil Siop Magi. Mi ga i weithio dwy awr bob diwrnod ysgol, faint licia i ar ddydd Sadwrn, ac awr ar ddydd Sul pan fydd angen, medda fo. Yn ôl y gyfraith. Ond mae'n rhaid cael llythyr gan fy rhieni i roi caniatâd.

'Dim problem,' meddwn innau'n dalog.

'Llythyr imi fory, dechrau Dydd Mercher,' medda fo. 'Rhywun newydd orffen, a ninnau'n brin o ddwylo.'

'Siwtio fi i'r dim,' meddwn innau ar unwaith.

Mi es i adra fel pe buasai gwynt teg wrth fy nghwt i.

'Dad!' gwaeddais cyn agor y drws bron. 'Dyfalwch be? Rydw i wedi cael job.'

A dyma fi'n rhedeg i'r gegin a thaflu mreichiau am ei wddf.

'Job, Dad. I helpu nes byddwch chi wedi ailddechrau gweithio.'

Eistedd wrth y bwrdd a'i ben yn ei blu braidd oedd o, ond mi roes ei fygiad coffi i lawr a sbïo arna i'n reit syn.

'Job? Am be wyt ti'n sôn, hogan?'

'Rydw i wedi bod yn gweld Wil Siop Magi ar y ffordd adra. Danfon papurau newydd . . . a gwaith yn y siop ar ddydd Sadwrn. Mae o'n gweddïo am help, medda fo.'

Mi wenais i'n braf ar Dad a dechrau trefnu'r manteision yn uchel.

'Rŵan, os rho i'r gora i wersi piano . . . ac ennill cyflog hefo'r papurau newydd . . . wel!!'

Mi drawodd Dad ei ddwrn ar y bwrdd nes roedd y myg yn drybowndio a chodi ar ei draed yn drwsgl frysiog.

'Does run o dy draed ti yn mynd i wneud y fath beth, a dyna ddiwedd arni. Wyt ti ddim wedi clywad am yr ymosodiadau ar blant yn danfon papurau newydd . . .'

'Mi rydw i'n ddigon tebol . . .'

'Rwyt i'n rhy ifanc . . . wna i ddim ystyried ffasiwn beth . . .'

'Ond ... Dad . . . Rydw i wedi gaddo.'

'Dydw i im eisio clywad gair arall. Na.'

Rhieni! Fedran nhw ddim gweld ymhellach na'u trwynau.

Dydd Mawrth, Ionawr 10fed.

Brecwast. Dad a'i drwyn yn y papur, Mam yn ymladd yn erbyn ei salwch boreol, Llŷr yn swnian a finnau'n gogwyddo rhwng breuddwydio am Derec Wyn a diflastod am na chawn i ddechrau gweithio.

Ond dydw i ddim wedi ildio eto. Mae'n *bwysig* imi gael gwaith cyn iddi fynd yn draed moch hollol yn y tŷ 'ma.

Ysgol. Siw yn holi am y job, Gwen yn bigog guchiog, Robin Goch yn gweiddi uwch fy mhen am nad oeddwn i'n talu sylw, Wati'n bwrw drwyddi am fy mod i wedi anghofio fy llyfr barddoniaeth ac yn saethu poer yn gawod trwy'i ddannedd gosod wrth ddweud y drefn, Derec Wyn yn welw salw yn yr iard, ei ddolur gwddf yn waeth, medda fo, ond ei fod yn smalio wrth ei fam. Dydi bywyd yn ddim ond brwydr a siom.

'Be wnei di rŵan?' gofynnodd Siw. 'Fedri di ddim perswadio dy dad?'

'Wn i ddim,' meddwn inna'n ddigon penisel.

'Ew! Mi fuaswn i wrth fy modd petasai Mam yn disgwyl babi,' medda Siw.

Mi feddalodd ei llygaid a dechrau pefrio'n deimladol.

'Stwffia fo,' meddwn i'n ddiflas. 'Digon hawdd i ti siarad. Ddim i dy fam di mae o'n digwydd.'

'Ond mi fuaswn i wrth fy *modd*!'

Mi fuo bron imi â ffrwydro'n danllyd. Tôn gron felltith ydi Siw pan mae hi'n sôn am fabis. Ac mi roeddwn inna wedi cael digon arnyn nhw ac ar rieni'n colli'u gwaith, a digon ar bencaledwch pobl a ddylai wybod eich bod chi'n trio'u helpu nhw hefyd.

A doedd pethau fawr gwell pan welais i Derec Wyn yn yr iard amser cinio. Roedd ei lais bron wedi diflannu a golwg glwyfus ar ei lygaid. Mi anghofiais am y treialon gartre a dechrau dweud y drefn (yn rêl gwraig, dybiwn i) a'i siarsio nad oedd o i ddwâd i'r ysgol fory os nad oedd o'n well. Nefi, mae angen tendio, draed a dwylo, ar bobl yn y byd 'ma, yn enwedig dynion. Does ganddyn nhw ddim *syniad*!

Galw i weld Wil Siop Magi.

'Wel, ddoist ti â'r llythyr?' medda fo'n wên i gyd.

'Naddo,' meddwn i'n reit benisel. 'Dad yn troi'n benstiff.'

'O, wel, waeth inni'i anghofio fo ddim, felly.' Yna dyma fo'n ailfeddwl. 'Oes gen ti ffansi gweithio Sadwrn, ta? Bora yn unig?'

Mi fuaswn i'n medru taflu mreichiau am ei wddf a

phlannu homar o gusan ar ei drwyn, roeddwn i'n teimlo mor falch.

'Ydach chi'n siŵr? Faint o gyflog ga i? Dechrau faint o'r gloch?'

'Dos adra i siarad hefo dy rieni i ddechra. Efalla y daw dy Dad yma i gael sgwrs hefo mi.'

'Grêt!'

Hofran nid cerdded ddaru mi yr holl ffordd i'r tŷ. Doedd bosib y gwrthodai Dad. Ddim imi weithio bore Sadwrn yn unig.

Cyrraedd adre. Dad yn y lolfa. Mwg sigarét yn gwmwl o'i gwmpas. Llestri brecwast yn y sinc.

'Golcha nhw cyn i dy fam ddŵad adra, Gwenno,' medda fo'n llipa ddigon.

'Dad, rydw i wedi bod yn gweld Wil Siop Magi ar y ffordd adra . . .'

Mi aeth ei wyneb yn chwyrn gacwn.

'Yli, Gwenno, rydw i wedi cael llond bol o dy swnian di. Na, ddeudis i, a NA rydw i'n ei feddwl.'

'Gweithio bore Sadwrn, Dad. Mae hynny'n ddigon saff. Fydda i ddim allan ar y strydoedd na dim. Gweithio i mewn yn y siop. Plîs, Dad.'

'Na.'

'Ond dim ond bore Sadwrn ydi o. Plîs. Plîs, Dad.'

Mi edrychodd Dad arna i fel pe buaswn i'n bryfyn dieithr nad oedd o rioed wedi'i weld o'r blaen. Ddywedodd o ddim byd am eiliadau hir, yna . . .

'Gwenno, Gwenno,' medda fo â rhyw hanner chwerthin yn ei lais. 'Does dim taw arnat ti, yn nac oes? Run ffunud â Nain Tawelfa.'

'Ew, na,' meddwn i wrthyf fy hun. 'Byth!'

Ond roedd Dad wedi'i weddnewid, a hwyl dda arno fo unwaith eto. Mi gododd o'r gadair yn bwrpasol.

'Yli, mae hi bron yn bump o'r gloch. Well inni afael

ynddi, dywed, a golchi'r llestri 'na? Paratoi'r cinio i dy fam hefyd.'

'Ga i weithio, Dad?'

'Gawn ni weld wedi gofyn i dy fam.'

Roedd hi'n grêt yn y gegin, dim ond y fo a fi. Mi olchais i, ac mi sychodd o; mi blicion ni'r tatws a chrafu moron a rhoi selsig a llwyth o wynwyn hefo nhw yn y popty i goginio. Mi osodais i'r bwrdd ac fe wnaeth yntau dan-llwyth o dân yn y lolfa.

'Dos i nôl Llŷr cyn i dy fam gyrraedd,' gorchmynnodd Dad. 'Mae o'n gwylio'r teledu yn nhŷ Garmon.'

Os na fydd Garmon yn ein tŷ ni, mi fydd Llŷr yn nhŷ Garmon . . . haf a gaeaf run fath. Roedd Mam wedi cyrraedd adre erbyn imi ddŵad yn ôl hefo Llŷr. (Mae mam Garmon yn un siaradus ofnadwy, ac yn rêl holiadur pan gaiff hi gyfle hefyd.)

'Eich tad gartra heddiw, Gwenno? Ddim yn dda?'

'Dim llawer o waith ar ôl archebion y Nadolig, Mrs Rees,' meddwn i gan groesi mysedd wrth ddweud y fath gelwydd.

'O . . . mi wela i.'

Ond rywsut, mi wyddwn i ei bod hi'n deall y sefyllfa i'r dim. Ond be wnawn i, tê, a neb wedi ngoleuo i beth i'w ddweud?

Roedd Mam wrth ei bodd wrth weld y cinio'n barod.

'Diolch ichi i gyd,' medda hi gan ei gollwng ei hun ar y soffa. 'Mi fuaswn i'n cysgu oriau y funud 'ma.'

'Ddyliet ti ddim bod yn gweithio . . .' cychwynnodd Dad. 'Petaswn i ond yn cael . . .'

'Dim rŵan, Myrddin,' rhybuddiodd Mam gan lygadu Llŷr.

Ond doedd dim rhaid iddi boeni. Roedd trwyn hwnnw ynghlwm wrth y teledu unwaith eto, er nad oedd 'na ddim ond newyddion i'w wylio.

Mi olchais i'r llestri . . . a'r hyn sydd yn gas gen i . . .

sgrwbio'r sosbenni hefyd. Gobeithio nad peth fel hyn fydd patrwm fy nyddiau o hyn ymlaen.

Dydd Mercher, Ionawr 11eg

Derec Wyn ddim yn yr ysgol. Siw yn dal i sôn am fabis.

Dydd Iau, Ionawr 12fed

Derec Wyn gartra eto heddiw. Be wna i? Ffonio heno, ta be?

Gwasgu'n newrder ataf, a ffonio'n syth wedi cyrraedd adre.

'2467. Pwy sy'n galw?'

Mi lyncais fy mhoer yn reit sydyn ac ateb yn bur fflons.

'Gwenno. Sut mae Derec Wyn?'

'O, chi sy 'na, Gwenno? Mae o'n well. Ond ddaw o ddim i'r ysgol tan yr wythnos nesa. Arhoswch imi alw arno fo.'

Dew! Roedd ei chalon hi wedi meddalu ers y tro diwethaf!

'Gwenno! Hiya!'

Roedd ei lais fel crawcian brân.

'Jest meddwl sut oeddet ti.'

Am ryw reswm mi ddechreuais i deimlo'n gloff annifyr. Oedd o'n meddwl fy mod i'n rhedeg ar ei ôl wrth ei ffonio. Ond y fi oedd ei gariad, tê? Yn swyddogol ddigon erbyn hyn.

'O . . . yn well, ysti.'

Distawrwydd. Beth fedrwch chi ei wneud pan mae'ch cariad chi ar y lein a chithau'n methu â gwybod beth i'w ddweud nesa? Distawrwydd.

'Gwenno! . . . Wyt ti yna?'

'Ydw.'

'O . . . meddwl fod rhywbeth ar y lein . . .'

'Na . . .'

'Ddoi di yma dydd Sadwrn?'

Mi ysgafnhaodd fy nghalon yn syth.

'Do i. Fydd ots gan dy fam?'

Mi'i clywais i o'n gofyn.

'Mi fydd yn ôl reit i Gwenno ddŵad yma dydd Sadwrn, yn bydd?'

'Bydd.'

'Tyrd tua dau, Gwenno, inni gael y pnawn hefo'n gilydd.

'Iawn. Ta ta rŵan.'

Mi safais mewn cwmwl euraidd o gariad wrth y ffôn. Fedrwn i ddim disgwyl i ddydd Sadwrn ddŵad. A finnau'n dechrau gweithio, a phopeth.

'Gwenno,' medda Dad o'r tu ôl imi. 'Rhaid iti beidio â defnyddio'r ffôn 'ma cyn chwech. Yr amser rhad. Fedrwn ni mo'i fforddio fo rŵan.'

Trystio rhiant i daflu cysgod tros y breuddwyd gorau.

Dydd Gwener, Ionawr 13eg

Mi fuo bron imi ag aros yn fy ngwely heddiw. Dydd Gwener y trydydd ar ddeg. Diwrnod anlwcus. Roedd o'n sôn yn y papur am ddyn fydd yn aros yn ei wely trwy'r dydd. Cant a mil o bethau wedi digwydd iddo ar ddydd Gwener y trydydd ar ddeg. Syrthio i lawr y grisiau, torri'i fraich, malu'i gar wrth fynd i'w waith, llithro ar groen banana.

Ond codi ddaru mi. Fedra i ddim fforddio ymlacio a ninnau mewn ffasiwn lanastr yma.

Dad yn ei siwt orau pan gyrhaeddais y gegin.

'Mynd am gyfweliad,' medda fo wrth fy ngweld i'n sbïo'n hurt.

Mi groesais fy mysedd a dweud 'Lwc Dda' wrtho fo, ond doeddwn i'n codi fawr ddim ar fy ngobeithion wrth gofio ei bod hi'n ddyddiad anlwcus.

Rhyfedd. Dydi Llŷr wedi dweud dim am fod Dad yn aros gartre. Mae'n rhaid ei fod o'n meddwl mai gwyliau'r Nadolig ydi hi arno o hyd. Ond mi fydd yn rhaid dweud wrtho fo'n fuan . . . ac mi fydd pawb yn gwybod wedyn.

Mi fydd Gwen yn wên o glust i glust. Smalio cydymdeimlo ond yn falch run pryd. Mi fyddwn i'n arfer bod yn ffrindiau hefo hi. Ddim cymaint ag hefo Siw . . . ond ffrindiau. Run fath ag hefo Gwawr. Mae hi'n ôl reit, ond ddim cystal â Siw.

'Sut ma dy fam?' gofynnodd Siw cyn gynted ag yr eisteddais i ar y bws.

'Iawn,' meddwn i.

Erbyn meddwl doedd hi ddim wedi ymddangos yn sâl y bore 'ma. Efallai fod y salwch yn dechrau clirio.

Roeddwn i ar bigau'r drain eisio cyrraedd adre o'r ysgol a chael gwybod sut hwyl gafodd Dad. Ond eistedd yn ddigon didaro yn y lolfa roedd o pan gyrhaeddais i yn fwg ac yn dân i gyd.

'Be ddigwyddodd? Ydach chi wedi'i chael hi?'

Mi daflais fy hun bron i'w gyfeiriad.

'Cha i ddim gwybod tan yr wsnos nesa,' medda fo. 'Prun bynnag, roedd pymtheg yn trio.'

Dydd Sadwrn, Ionawr 14eg

Roeddwn i wedi codi cyn cŵn Caer y bore 'ma. Eisio bod yn y siop erbyn chwarter i naw. Be mae pobl yn ei wisgo i sefyll tu ôl i gownter? Jîns? Fedrwn i ddim mynd i'r sgert ddu petasai rhywun yn talu imi! Mi es i lawr yn fy nghoban a gadael y penderfyniad tan ar ôl brecwast.

Dad a Mam yn eu gwnwisg pan gyrhaeddais y gegin a neb yn dweud fawr o ddim. Mae fel tŷ galar yma ers inni gael y sioc ddwbl . . . babi a diswyddo.

'Be wisga i?' meddwn i gan feddwl symud tipyn ar eu meddyliau nhw.

'Be wisgi di i be?' gofynnodd Mam.

Wel, y nefoedd annwyl, dydyn nhw'n meddwl am ddim ond nhw eu hunain.

'I fynd i weithio at Wil Siop Magi, siŵr iawn,' meddwn i.

'Mr Hughes, i ti,' medda Mam.

Siop Wil neu Mr Hughes, beth oedd ots?

'Ia, ond be wisga i? Jîns?'

'Rho dy sgert gordiroi a dy siwmper goch.'

'Rheiny! Mi rydw i'n eu gwisgo gartra ers cantoedd!'

Ond ynddyn nhw y bu'n rhaid imi fynd, a fy hen anorac hefyd am ei bod hi'n dechrau smwcan glaw a hwnnw'n oer drybeilig.

'Tyrd â fferins yn ôl imi, Gwenno,' medda Llŷr. Roedd o'n dŵad i lawr y grisiau fel roeddwn i'n cychwyn.

'Dos i ganu,' meddwn i gan roi clep ar y drws a'i adael i achwyn wrth Dad a Mam.

Dydi gweithio tu ôl i gownter yn ddim byd chwyldroadol. Jest rhoi a chymryd trwy'r amser. Nwyddau iddyn nhw . . . ac arian i'r til. Ond synnwn i ddim na fuaswn i'n gwneud perchennog siop ardderchog. Mae ffortiwn i'w gwneud wrth werthu pethau i bobl.

Mi ddaliais i'r bws dau i'r dre a mynd i weld Derec Wyn. Roeddwn i wedi gofalu nad oedd gen i dwll yn fy hosan y tro yma . . . ac wedi gwisgo fy siaced ledr newydd a'r jîns gorau oedd gen i . . . ac wedi dŵad â fy slipas mewn bag hefyd i blesio'i fam.

Derec Wyn agorodd y drws imi. Ac wedi imi dynnu fy mŵts a'u cadw nhw ochr yn ochr yn ddestlus a gwisgo fy slipas, mi'i dilynais i o i'r lolfa.

'Dad, dyma Gwenno,' medda Derec Wyn cyn imi sylweddoli fod neb yno heblaw ei fam.

Mi gododd 'na ddyn bach boliog penfoel oddi ar y soffa ac ysgwyd llaw hefo mi fel pe buasai fo byth am orffen.

'A hon ydi Gwenno, ia?' medda fo'n wên i gyd. 'Croeso

ata ni, Gwenno. Jest y ffisig oedd Derec Wyn 'ma'i eisio, yn lle bod a'i ben yn ei blu yn fa'ma. Yntê, Buddug?'

'Sut ydach chi, Gwenno?' Ddaru'i fam o ddim cytuno nac anghydweld, ond mi roeddwn i'n falch fy mod i wedi dŵad â fy slipas. I lawr at fy nhraed yr edrychodd hi gyntaf un . . . rhag ofn imi faeddu'i charped hi debyg. (Dydi hi rioed yn gorfodi pawb i dynnu am eu traed! Mi fuo bron imi â phwffian chwerthin wrth feddwl am bobl drws nesa, a'r gweinidog, y dyn darllen mesurydd trydan a phobl felly, i gyd yn ciwio tu allan i'r drws er mwyn tynnu'u sgidia.)

'Eisteddwch,' medda hi'n reit garedig wedi ei sicrhau ei hun fod fy nhraed yn deilwng.

'Rydan ni am fynd i'r llofft i chwarae recordia,' medda Derec Wyn.

'Iawn. Iawn,' medda ei dad yn syth. 'Dydyn nhw ddim eisio cadw cwmni i ddau hen fel y ni, yn nac ydyn, Buddug?'

Pletio gwefusau, fel y bydd Mam yn ei wneud weithiau, ddaru ei fam. Roeddwn i'n chwysu chwartiau, ac mi fuasai'n dda gen i petasai Derec Wyn heb sôn am y llofft.

'Wel, peidiwch â bod yno'n hir,' medda hi yn reit awdurdodol. 'Mi wna i baned yn fuan.'

Mi ddilynais i Derec Wyn i fyny'r grisiau â'm wyneb yn fflamgoch.

'Doedd dy fam ddim eisio imi ddŵad i fyny 'ma,' sibrydais yn annifyr.

'Dim ots ganddi siŵr, Gwenno . . .'

Mi edrychodd o arna i am funud, ac yna . . . dyma fo'n gafael amdana i ac yn rhoi cusan sydyn imi, . . . ar fy nhrwyn! Dydw i ddim yn meddwl mai am y fan honno yr anelodd o chwaith . . . ond mi sbonciais i wrth gael cymaint o sioc, . . . sydynrwydd y peth, tê . . . fel rywsut ein bod ni ein dau wedi anelu ffordd groes.

Mi ollyngodd Derec Wyn fi fel petaswn i'n grasboeth a throi i gau drws y llofft. Mi aeth fy wyneb innau fel tomato eilwaith, a rywsut . . . am eiliad . . . fedrai fo na finnau ddim sbïo ar ein gilydd.

Yna dyma fo'n ailafael yndda i, yn fy nhynnu ato . . . ac yn rhoi cusan araf . . . gynnes . . . go iawn imi. Dim ond am eiliad y parhaodd hi, . . . ond roedd eiliad yn ddigon i gryfhau mhenderfyniad mai Derec Wyn fuasai fy nghariad am weddill fy oes.

Mi eisteddon ni ar y llawr wedyn â'n cefnau ar y radiator a gwrando ar recordiau. Ac mi afaelodd Derec Wyn yn fy llaw, a rywsut roedden ni'n methu â pheidio â gwenu ar ein gilydd . . . ond chefais i ddim cusan arall. Wyddwn i ddim a oeddwn i eisio un y funud honno chwaith. Roedd fy nghwpan hapusrwydd yn orlawn yn barod.

Mi gawson ni de, ac mi olchais i'r llestri hefo'i fam, ac mi atebais i gwestiynau ei rieni am Dad a Mam a Llŷr, fy ngobeithion yn yr ysgol, fy joban bore Sadwrn, Nain Tawelfa hefyd . . . ond soniais i run gair fod Dad wedi colli'i waith. Efallai na fydd yn rhaid imi . . . os bydd cyfweliad dydd Gwener y trydydd ar ddeg yn llwyddiannus.

Dydd Sul, Ionawr 15fed

Diwrnod mynd i weld Nain. Ys gwn i wnân nhw ddatgelu'u cyfrinachau heddiw? Be ddywed Nain?

Pawb wedi codi'n hwyr. Mi wnes i ddwy sleisen o dost i mi fy hun a thaenu marmalêd fel trwch o eira arnyn nhw. Roeddwn i am fynd yn ôl i'r llofft i'w bwyta nhw er mwyn imi gael tawelwch i feddwl am bnawn ddoe unwaith eto. (Doeddwn i wedi meddwl am ddim arall trwy'r nos!)

Ond mi alwodd Mam arna i i olchi'r llestri a helpu hefo paratoi cinio. Mae hi'n edrych yn dipyn mwy fflons y bore 'ma. Mi fentrais ofyn a oedd y salwch bore wedi cilio.

Ochneidiodd Mam.

'Wel, ydi. Rydw i dros dri mis rŵan, ysti.'

Wyddwn i ddim fod peth felly'n gwneud gwahaniaeth.

'Ydach chi am ddweud wrth Nain heddiw?'

Ochneidiodd Mam eto.

'Wn i ddim. Ma dy dad eisio.'

'Wel, mae'n rhaid iddi gael gwybod rywdro.'

'Ia, ond mi wyddost ti am ei thafod hi. A Dad wedi'i ddi-swyddo a phopeth.'

Wel, fedrwn i mo'u deall nhw. Oedd arnyn nhw ofn Nain Tawelfa?

'Dweud fuaswn *i*,' meddwn i'n bendant. 'Waeth ichi dorri'r garw rŵan ddim. Ei gael o trosodd.'

Ochneidiodd Mam yn drymaidd eto.

'Ia. Efalla dy fod ti'n iawn.'

Mae am fod yn bnawn diddorol, meddwn i wrthyf fy hun.

Mi arhosodd Llŷr yn nhŷ Garmon. Nhad aeth trosodd i ofyn. Yna, tua dau o'r gloch, mi gychwynnon ni'n tri yn y car.

Ddywedodd run ohonyn nhw fawr ddim ar y ffordd yno. Mi driais i sôn ychydig am y tywydd, y traffig ar y ffordd a phethau claear felly yn ystod y siwrnai, ond doedd neb am gymryd yr abwyd. O'r diwedd, mi bwdais innau, a phenderfynu rhoi'r gorau i ymdrechu, os mai fel'na roedden nhw eisio bod. Prun bynnag, roeddwn i eisio meddwl am Derec Wyn.

Mi suddais yn ôl ar y sedd a syllu ar ddim trwy'r ffenestr. Y gusan. Dwy! Na, un a hanner wrth feddwl mai ar fy nhrwyn y disgynnodd un. Ond roeddwn i wedi derbyn fy nghusan gyntaf, dyna oedd yn bwysig. Wedi tyfu i fyny.

Ys gwn i oedd y ffaith yn dangos ar fy wyneb i? Doedd dim disgwyl i Mam a Dad sylwi a hwythau yng nghanol eu treialon. Ond tybed fuasai Siw? A'r gweddill yn yr ysgol?

Mi gyrhaeddon ni dŷ Nain cyn imi sylweddoli.

'Rydach chi wedi cyrraedd,' medda hi heb symud oddi wrth y llygedyn tân. 'A thithau, Gwenno.'

'Do,' meddwn i a mynd ymlaen i roi cusan iddi.

Wn i ddim pam. Fydda i ddim yn arfer gwneud.

'Neis dy weld ti, ngenath i,' medda hi yn reit feddal ei llais a gwasgu mraich i'n sydyn. 'Mi eisteddwch wedi dŵad, debyg,' medda hi wedyn yn ei llais arferol gan lygadu Mam a Dad.

'Wedi dŵad â theisen ffrwythau ichi,' medda Mam. 'Un Becws Cadnant ydi hi. Mae'u teisennau nhw yn dda bob amser.'

'Ydyn, debyg,' medda Nain gan swnio fel petasai hi'n anghytuno'n llwyr.

Yna mi lygadodd Mam fel pe buasai rhyw amheuaeth sydyn wedi'i tharo hi.

'Rhoi pwysau mlaen, Menai?' medda hi'n sydyn. 'Y sgert 'na dipyn tynnach nag yr oedd hi.'

Mi wridodd Mam at ei chlustiau a thaflu cipolwg erfyniol ar Dad.

'Wel . . . hm . . . ia . . .' medda hwnnw. 'Ma gynnon ni newydd i'w ddweud wrthych chi, Nain. Ma . . .'

Mi wenodd Nain yn gynnil.

'Dim byd nad ydw i wedi'i amau'n barod, Myrddin,' medda hi. 'Disgwyl rhagor o deulu. Mae'i golwg hi'n dweud. Ma Gwenno ma'n gwybod, debyg?'

'O ydw, Nain,' meddwn i yn ddigon fflat.

Roedd dweud wrth Nain wedi cadarnhau'r ffaith rywsut. Mi fyddai'n rhaid imi ddweud wrthyn nhw i gyd yn yr ysgol rŵan.

Mi edrychodd Nain yn ddigon craff arna i am eiliad a rhoi rhyw nod fach iddi'i hun.

'Ia, wel, mi gymra i baned,' medda hi. 'Myrddin, mae

eisio rhagor o bricia dechrau tân arna i. Mae'r fwyell yn y cwt. Mi arhosith Gwenno hefo mi.'

Welais i rioed ddau yn ufuddhau mor wylaidd. Yn falch o gael un newydd trosodd, debyg.

'Eista yn fa'ma wrth fy ochr i, Gwenno,' medda Nain gan ostwng ei llais yn gyfrinachol reit. 'Wyt ti'n falch am y babi 'ma, dywed?'

Mi lanwodd fy llygaid i â dagrau. Mi fuaswn i'n medru fy nghicio fy hun am fod mor wirion. Doeddwn i ddim am ddangos fod ots gen i wrth neb. Mi fuasai hynny'n frad-ychu'n rhieni rywsut.

'Twt,' medda Nain. 'Ma babis yn dŵad i'r byd 'ma'n rhesi. Felly buo hi a felly bydd hi. Beth am y cariad 'na sy gen ti? O deulu da?'

'Ydi.'

'Wyt ti wedi bod yn ei gartra fo wedyn?'

'Do.'

A dyma fi'n dechrau gwrido yn union fel Mam. Cofio am y gusan roeddwn i.

'Ia, wel, dim ond iti fyhafio dy hun. Peidio â mynd tros ben llestri.'

Mi deimlais i'r gwrid yn lledaenu tros fy nghorff. Beth oedd hi'n ei feddwl oeddwn i am ei wneud hefo Derec Wyn? Yna dyma hi'n troi i edrych arna i'n sydyn.

'A beth arall sy'n poeni dy dad?'

'P . . . poeni Dad? Dim byd.'

'Ma rhywbeth. Dydw i ddim wedi'i fagu fo o'r crud heb 'i adnabod, wel'di. Deuda di wrtha i be sy.'

Daria fflamia! meddwn i wrthyf fy hun. Waeth imi ddweud ddim.

'Wedi'i ddiswyddo mae o.'

Mi bwysodd Nain yn ôl ar gefn ei chadair.

'Mi wyddwn i fod 'na rywbeth heblaw babi. Diolch iti, Gwenno. Ddeuda i ddim byd nes y deudith o. Cyfrinach ti a fi.'

Roeddwn i'n teimlo'n rêl bradwr. Ond mi roeddwn i'n teimlo'n agos at Nain hefyd.

Mi gawson ni baned i gyd hefo'n gilydd, ac mi sonion ni am yr hyn a'r llall, ond ddywedodd neb air am Dad yn colli'i swydd. Ond mi fedrwn i synhwyro fod Nain yn disgwyl, a'i bod hi'n teimlo'n siomedig hefyd am na ddywedon nhw wrthi.

Mi fuo mi'n pendroni ar y ffordd adre ac yn meddwl am Nain. Dad oedd ei hunig blentyn hi. Sut oedd hi'n teimlo am fod pawb yn celu oddi wrthi? Fel petasai wedi cael ei gwrthod. Efallai mai dyna pam roedd hi mor bigog ac anodd ei thrin weithiau. Nain druan!

Dydd Llun, Ionawr 16eg

Derec Wyn yn yr ysgol. Hefo'n gilydd amser cinio. Gwen yn gwgu. Fedrwn i ddim meddwl datgelu cyfrinach y babi.

Dydd Mawrth, Ionawr 17eg

Hapus. Ond mae cyfrinach y babi 'ma fel cleddyf uwch fy mhen i.

Dydd Mercher, Ionawr 18fed

Rydw i wedi cael llond bol yn y tŷ 'ma. Pawb yn disgwyl wrtha i. Gwenno gwna hyn. Gwenno gwna'r llall. Dydi o ddim yn deg. Heblaw hynny, hapus.

Dydd Iau, Ionawr 19eg

Mam yn dweud wrth Llŷr am y babi. Dangos dim diddordeb. Dim ond gofyn ble roedd o am gysgu. Mam a Dad yn sbïo ar ei gilydd. Tair llofft sydd yn y tŷ 'ma.

Rydw i wedi perswadio Dad i adael imi roi'r gorau i wersi piano o'r diwedd.

'Ylwch faint mae o'n ei gostio, Dad. A dydw i'n dŵad *ddim* yn fy mlaen, medda Mrs Wynford Rees.'

'A dwyt ti ddim wedi cyffwrdd yn y piano 'na ers dyddiau.'

Wel, naddo. Sut fedrwn i, a chymaint o bethau ar fy meddwl i? Ac ar eu meddwl hwythau hefyd, achos doedd run ohonyn nhw wedi cofio am fy ymarfer piano tan rŵan.

'Plîs, Dad. Ylwch arian mae o'n ei gostio i drio arholiadau.'

Mi nodiodd Dad yn drymaidd.

'Ia, does gynnon ni ddim llawer i'w sbario,' meddai'n gyndyn. 'Oni bai imi gael y swydd 'na, wrth gwrs.'

Wel, roeddwn i bron â gobeithio mai ei wrthod gâi o, jest er mwyn i minnau gael ffarwelio â Mrs Wynford Rees. Ond fy narbwyllo fy hun ddaru mi. Mae'n rhaid i bawb aberthu ychydig mewn achos da, ac mi roeddwn i'n fodlon canlyn ymlaen hefo'r gwersi petasai Dad ond yn cael swydd.

'Wel, mi rwyt ti wedi cael dy gyfla,' medda Dad. 'Arnat ti mae'r bai os na wnest ti fanteisio arno fo. Difaru wnei di.'

'Na, wir, Dad. Dim sbarcyn yndda i, medda Mrs Wynford Rees. A dydi hi'n gwneud dim ond colli'i thymer. Mi fydd yn falch o gael gwared ohona i, mi gewch chi weld.'

Roeddwn i'n wên i gyd yn dringo ar y bws.

'Be sy?' Mae Siw yn rêl busnes.

'Cael gorffen gwersi piano.'

'Braf. Gweld Derec Wyn fory?'

'Ydw. Ti'n gweld Prysor?'

'Ydw.'

Mi eisteddon ni yngholl yn ein breuddwydion yr holl ffordd i'r ysgol. Ond mi ddeffroais i'n ddigon buan yn y wers Bioleg. Wedi anghofio popeth am fy ngwaith cartre. Sôn am storm.

'Gwenno Jones. Dyma'r ail waith ichi hel esgusion. Wnaiff hyn mo'r tro, 'dach chi'n dallt? Rhaid imi gael eich llyfr chi y peth cynta bore Llun. Yn ddiffael.'

'Anghofio dŵad a fo ddaru mi.'

'Cofiwch amdano bore Llun, neu gwae chi. Rydw i'n 'i feddwl o, Gwenno.'

O ffadin chwech! Un o'r athrawon rheiny sy'n codi stŵr ydi Miss Jones. Anfon rhywun at y prifathro a phethau gwirion felly. Ac am ddwy geiniog mi fuasai hwnnw'n anfon cwyn i Mam a Dad.

'Gwenno is not pulling her weight at present. Not showing an interest in her work.'

Mi fedra i ddychmygu'r halabalŵ wedyn. Yn enwedig gan fod Wati Welsh wedi bod yn fy mhen i hefyd a'i bod hi'n 'Noson Rhieni' yr wythnos nesaf. Wn i ddim sut mae neb yn disgwyl imi wneud gwaith cartref a gwaith tŷ. Nid dewin ydw i.

Dydw i ddim yn licio gwaith ysgol. Ond mi fydd yn rhaid imi dorchi'n llewys, yn enwedig gan fod Derec Wyn mor glyfar!

Dydd Sadwrn, Ionawr 21ain

Gweithio i Wil Siop Magi yn y bore. Cyfarfod Derec Wyn yn y dre y pnawn. Pictiwrs. Eistedd yn glòs a rhannu eis loli. Cusan eto. Nefolaidd brofiad!

Adre hefo bws chwech am fod Dad yn deddfu.

Dydd Sul, Ionawr 22ain

Newydd sylweddoli na chafodd Dad air am y swydd. Dydw i ddim yn licio sôn gair.

Dydd Mercher, Ionawr 25ain

Mae hi'n ddiwrnod Santes Dwynwen heddiw! Chefais i ddim cerdyn. Ys gwn i ydi Derec Wyn yn gwybod? Un cysur . . . chafodd Siw run chwaith!

Bywyd yn bur ddidramgwydd tan heno 'ma. Noson rhieni. Mam a Dad yn dod yno'n fusnes i gyd a'm tynnu inna wrth eu cwt. Ciwio i weld pob athro . . . a phob un yn dweud ei gŵyn.

Gwenno ddim yn trio. Gwenno â fawr o ddiddordeb yn ei gwaith. Gwenno â'i phen yn y gwynt.

Wyneb Dad fel y fagddu yn cyrraedd adre. Storm o fellt a tharanau yn clepian uwch fy mhen i. Bygwth na chawn i ddim mynd allan hefo Derec Wyn, na gweithio yn y siop na dim.

Gaddo . . . a gaddo . . . a gaddo. Mynd i fy ngwely'n swp pwdlyd. Sut maen nhw'n disgwyl imi blygu iddi a minnau'n sgifi yn y tŷ 'ma. Dydw i ddim yn licio cwyno, ond mae Mam wedi blino, Dad wedi colli'i blwc ac yn suddo i felancoli, a Llŷr yn ddiafol pengaled a does neb yn dweud y drefn wrtho *fo*.

'Dos allan i chwara, Llŷr bach, mae dy fam wedi blino. Paid â gwneud twrw yn y tŷ 'ma Llŷr bach, i dy fam gael seibiant.'

A beth ydw i'n ei gael? Golcha'r llestri, Gwenno, mae dy fam wedi blino. Plicia'r tatws erbyn fory, Gwenno, i dy fam gael gorffwys.

Fuo bywyd rioed yn deg, ond mae o'n ddwbl annheg i rai. Gwenno Jones, er enghraifft!

Dydd Sadwrn, Ionawr 28ain

Dydw i ddim wedi sgwennu gair ers dydd Mercher. Chefais i fawr o amser rhwng gwaith sgifi a gwaith cartref. Diolch am gael mynd at Wil Siop Magi. Mae o yn fy ngwerthfawrogi.

Mi ges i bum deg ceiniog yn ychwanegol ganddo fo heddiw.

'Gwaith da, cyflog da,' medda fo a rhoi'i fraich am fy ysgwyddau a fy ngwasgu ato am eiliad.

Mae Wil Siop Magi yn fy ngwneud i deimlo braidd yn annifyr weithiau. Ond mi roeddwn i'n falch o'r pum deg ceiniog.

Cerdded stryd hefo Derec Wyn yn y pnawn. Coffi Wimpy a hambyrger rôl. Grêt!

Dydd Sul, Ionawr 29ain

Does neb am fynd i weld Nain Tawelfa heddiw.

'Ond mae hi'n siŵr o'n disgwyl ni,' meddwn i.

'Wnaiff colli Sul ddim gwahaniaeth,' medda Mam. 'Mi gaiff dy Dad ffonio drws nesa i ddweud.'

'Ond fuon ni ddim Sul dwytha chwaith.'

Doedd waeth imi siarad hefo'r wal ddim. Chymrodd neb ddim sylw.

'Mi a i fy hun hefo'r bws, ta.'

Mi edrychodd Dad a Mam yn syn.

'Ers faint wyt ti mor fachog i fynd?'

'Ar ei ben ei hun ma hi, tê?'

Wyddwn i ddim yn iawn pam roeddwn i'n gwneud cymaint o ffws. Wrth gwrs, mi roedd Nain wedi bod yn reit glên hefo mi y tro diwethaf, wedi iddi hi gael gwybod am Dad. Ond teimlo'n euog roeddwn i . . . am nad oedd neb eisio mynd.

'Ia, dos di,' medda Mam yn sydyn. 'Dweud wrthi fy mod i wedi blino.'

Wel, mi ddaliais i'r bws hanner awr wedi un a chyr-raedd tŷ Nain tua dau. Eistedd wrth y tân roedd hi pan es i mewn.

'Ble mae dy dad a dy fam?' medda hi ar unwaith.

'Mam wedi blino, Dad yn . . .'

104

'Esgusion,' meddai hi'n ffwrbwt. 'Does dim angen i tithau ddŵad i arbed wyneb neb.'

Mi edrychodd arna i'n reit ffyrnig.

'A beth sy gen ti i'w ddweud trosot dy hun?'

'Dim byd, Nain.'

Roeddwn i'n dechrau difaru fod run o'm traed i wedi croesi'r gorddrws. A finnau'n meddwl ei bod hi wedi meddalu, ac yn dechrau pitïo drosti!

'A dydi dy Dad ddim wedi cael job eto, debyg? A dim digon o asgwrn cefn ganddo fo i ddŵad i ddeud wrtha i. Petasa 'i dad o'n fyw . . . dy daid . . . Roedd o'n gawr o ddyn.'

Ychydig iawn oeddwn i'n ei gofio am Taid Tawelfa. Dim ond cof am eistedd ar lin rhywun hefo gwallt gwyn tenau a'i benglog yn binc binc rhwng y cudynnau.

'Oes gynnoch chi lun o Taid a chi yn ifanc, Nain? Cyn ichi briodi?'

'Oes.'

Roeddwn i'n tybio ei bod hi am feddalu am eiliad, ond ddaru hi ddim. Dyma hi'n sbïo ar y cloc ac yn dweud,

'Mi gei banad a dal y bws hanner awr wedi tri. Dydw i ddim eisio tynnu neb yma os nad ydyn nhw'n dŵad o'u gwirfodd.'

Rargol! Mi roedd hi mewn stêm. Mi driais i egluro mai dyna'n union ddaru mi . . . dŵad o'm gwirfodd, ond rywsut fedrwn i yn fy myw ei chael hi i goelio.

Ac adre ar y bws hanner awr wedi tri y bu'n rhaid imi ddŵad. Dydw i ddim am *drio* tosturio wrth Nain Tawelfa byth eto.

Dydd Llun, Ionawr 30ain

Cysgu'n hwyr. Colli'r bws. Dechrau'r diwrnod o chwith. Soniais i run gair am y babi wrth neb heddiw.

Dydd Mawrth, Ionawr 31ain

Dad yn mynd am gyfweliad arall. Nabod rhywun yn y cwmni yma, medda fo. Yn siŵr o gael gwaith. Yn jocan a chwerthin amser brecwast. Finnau'n codi nghalon hefyd. Efallai y bydd lwc o'n hochr ni heddiw.

Derec Wyn yn chwarae pêl-droed amser cinio. Eistedd ar yr un bwrdd â Gwen a Gwawr. Penderfynu mai dyma'r amser i gyhoeddi'r babi.

'Ma newydd da yn ein tŷ ni,' meddwn i'n reit uchel. 'Mam am gael babi.'

Mi sbonciodd llygaid pawb arna i'n syth. Yna dyma Gwen yn pwffian chwerthin.

'Ond ma dy fam yn *hen*! A faint ydi Llŷr?'

Mi ffromais innau'n syth.

'Be 'di'r ots faint ydi Llŷr?'

'Wel, mi rydw i'n falch, Gwenno,' medda Gwawr. 'Be maen nhw 'i eisio? Hogyn, ta hogan?'

'Wn i ddim.'

Doeddwn i ddim wedi meddwl dim am y peth fy hun. Ond efallai y buasai chwaer fach yn neis.

Dad wedi dechrau paratoi'r cinio pan gyrhaeddais i adre. Chwibanu wrth y gwaith. Arwydd da?

'Sut hwyl gawsoch chi, Dad?'

'O, iawn, ysti. Siawns dda gen i y tro yma. Nabod Eryl Preis, yr arolygwr.'

A dyma fo'n ei chwibanu hi am y llofft.

Mi eisteddais innau yn y lolfa a dechrau tynnu fy llyfrau ysgol o fy mag ysgwydd er mwyn dechrau gweithio arnyn nhw. Efallai y byddai gwell trefn yn y tŷ 'ma o rŵan ymlaen. Ond i Dad gael y swydd 'ma.

'Ga i frechdan gaws?' medda Llŷr jest pan oeddwn i'n dechrau sgrifennu. 'Gwenno, gwna un imi. Rydw i *jest* â llwgu.'

Pam y fi? Rydw i'n dechrau credu'n gryf mewn rhyddid

106

merched a bywyd cyfartal. Mae hi'n rhy unochrog o'r hanner ar hyn o bryd.

Dydd Mercher, Chwefror 1af
Diwrnod digon bethma yn yr ysgol. Gwen yn dal i rygnu mlaen am Mam yn disgwyl babi. Pa fusnes ydi o iddi hi?

Ond yn waeth na hynny, doeddwn i ddim wedi torri'r newydd i Derec Wyn o'u blaen nhw ... ac, wrth gwrs, roedd yn rhaid i Gwen gael agor ei hen geg fawr cyn i mi gael cyfle.

'Mae Gwenno wedi dweud y newydd wrthyt ti, debyg?' medda hi'n sbeitlyd i gyd.

'Pa newydd?' Mi edrychodd Derec Wyn yn reit ddryslyd arna i.

'Am y babi, siŵr iawn.'

'Y babi?'

Doedd o rioed yn meddwl fy mod *i* yn disgwyl un, yn nac oedd? Mi aeth fy wyneb i'n *biws!*

'Mam yn disgwyl un,' meddwn i'n swta. Mi fuaswn i'n medru *lladd* y Gwen 'na.

'O!'

Ddaru fo ddim dangos fawr o ddiddordeb wedi hynny, heblaw gofyn imi pam na fuaswn i wedi dweud wrtho fo yn lle ei gadw'n gyfrinach.

'Ddaru mi ddim. Wnes i ddim meddwl am ddweud.'

Babi! Rydw i wedi cael llond bol.

Dydd Iau, Chwefror 2ail
Ys gwn i pa bryd y caiff Dad wybod am y swydd? Mae o i lawr y grisiau yn disgwyl y postmon bob dydd. Does yna ddim byd ond biliau.

Dydd Gwener, Chwefror 3ydd
Mae hwyl well ar Mam yn y boreau rŵan. Teimlad rhyfedd ydi gadael y tŷ a gwybod fod Dad yn aros. Mae golwg ddigalon arno fo rywsut.

107

Ddaeth yna ddim hefo'r post heddiw wedyn.

'Oes 'na rywbeth, Myrddin?' gofynnodd Mam.

'Dim.'

'Fory, gei di weld,' medda Mam gan roi ei llaw ar ei fraich yn gysurlawn.

'Falla.'

A dyma fo'n troi ar ei sawdl ac yn diflannu i fyny'r grisiau. Ochneidio ddaru Mam, ond doedd ganddi hi na minnau ddim amser i fynd ar ei ôl. Ddim pan mae bws ysgol yn disgwyl, a Mam yn dechrau gweithio am naw.

Newydd gofio fod gen i 'Premium Bond'. Efallai yr enilla i yr wythnos yma. Y wobr fawr. Faint ydi hi hefyd? £100,000? Meddyliwch am ddŵad adre o'r ysgol ac amlen yn eich disgwyl chi.

Llongyfarchiadau. Rydych wedi ennill £100,000! Mi fuasai'n problemau ni i gyd yn diflannu. Mi fuaswn i yn rhoi benthyg i Dad er mwyn iddo gychwyn busnes ei hun. Dim angen iddo boeni am fethu cael gwaith wedyn. Mi wn i! Mr Myrddin Jones a'i siop ddillad yn stryd fawr y dre. Dillad merched a dynion. Rhai ffasiynol. Mi fuaswn i yn ei gynghori, ac mi fuaswn yn gweithio yn y siop ar Sadyrnau ac yn y gwyliau, a Hwrê! fuasai ddim angen imi boeni am weithio'n galed erbyn arholiadau. Dim hefo gwaith yn fy nisgwyl yn y siop. Rydw i wedi cael digon o bractis hefo Wil Siop Magi.

Fuasai £100,000 yn ddigon, tybed?

Dydd Sadwrn, Chwefror 4ydd

Llythyr i Dad y bore 'ma. Fe ddechreuodd ei fysedd grynu wrth iddo drio'i agor. Newydd am y swydd?

Mi groesais fy mysedd wrth iddo dynnu'r llythyr o'r amlen. Plîs! Plîs! Gadewch iddo gael y swydd. Mi fydda i'n hogan dda, mi olcha i'r llestri heb rwgnach, mi helpa i yn y tŷ o'm gwirfodd, mi wna i fy ngwaith cartref yn union i'r amser, wna i ddim ffraeo hefo Llŷr, . . .

Ond mi wyddwn i oddi wrth ei wyneb. Siom. Mi edrychodd Mam a finnau ar ein gilydd, ac mi welais i lygaid Mam yn llenwi hefo dagrau.

'Hidia befo, Myrddin,' medda hi. 'Mi ddaw rhywbeth.'

Mi eisteddodd Dad a'i lygaid ynghlwm ar y llythyr yn ei law am funud hir. Yna dyma fo'n ei wasgu'n belen a'i daflu â'i holl egni, yn erbyn wal y gegin.

'Damia! Damia! Damia!' bloeddiodd yn uchel. Roedd o'n dobio'i ddwrn ar y bwrdd rhwng pob llw.

'Paid ag ypsetio dy hun,' medda Mam eto.

'Ypsetio fy hun? Be arall fedra i 'i wneud a phawb yn troi'u cefnau arna i? Pwy sydd eisio hen groc. Dyna maen nhw i gyd yn ei ddweud.'

'Ond dwyt ti ddim wedi trio llawer eto. Aros di. Ymhen mis neu ddau mi fydd y stori'n wahanol.'

Doedd fy meddwl i ddim ar fy ngwaith yn y siop trwy'r bore ... a doedd hyd yn oed cyfarfod Derec Wyn yn y pnawn yn codi fawr ar fy nghalon i.

Dydd Sul, Chwefror 5ed

Mae Dad wedi suddo i felancolia. Does run gair i'w gael ganddo fo y bore 'ma, dim ond ambell i roch o dan ei wynt pan mae rhywun yn trio cael ei sylw.

Mae o wedi smygu saith o sigarennau. Dydi o ddim wedi siafio na gwisgo'n dwt heddiw, ac mi ffrywdrodd yn filain reit pan gynigiodd Mam y dylai wneud. Ac yna mi ddechreuodd y ddau ffraeo o ddifri.

I'm cysuro fy hun ychydig mi ddringais i'r llofft a gorwedd ar y gwely i wrando ar recordiau. Os na fydda i'n ofalus, nid Dad fydd yr unig un fydd yn dioddef o'r felancolia.

Yna mi gofiais am fy rhestr addunedau. Doeddwn i ddim wedi meddwl amdanyn nhw ers cantoedd. Dim rhyfedd a dweud y gwir, hefo'r holl ddigwyddiadau yn y tŷ 'ma.

Mi ddarllenais i trwyddyn nhw'n araf . . . jest rhag ofn fy mod i wedi anghofio rhai ohonyn nhw.

(1) Rydw i am garu Derec Wyn tra bydda i byw. *Wel, wrth gwrs!*

(2) Rydw i am weithio'n galetach yn yr ysgol. *Dydw i ddim wedi cael cyfle yn nac ydw?*

(3) Rydw i am fynd i weld Nain Tawelfa'n amlach. *Edrychwch sut groeso gefais i!*

(4) Wna i ddim ffraeo hefo Llŷr. *Rydw i wedi bod yn rhy brysur yn gofalu am bawb i feddwl am ffraeo!*

(5) Rydw i am ymdrechu i guddio fy niflastod hefo'r babi newydd. *Ys gwn i ddaru mi daflu llwch i'w llygaid nhw yn yr ysgol? Ond mae Nain wedi canfod.*

(6) Rydw i am gofio am bobl newynog y byd. *Mae gen i gywilydd ofnadwy. Wedi anghofio'n llwyr!*

(7) Rydw i am lanhau fy llofft bob wythnos. *Does ond mis ers pan ddaru mi.*

(8) Rydw i am gadw'n heini a byw yn iach. *Rydw i wedi helpu digon yn y tŷ 'ma i gadw'n heini am f'oes.*

(9) Rydw i am garu Derec Wyn tra bydda i byw. *Ydw ac ydw ac ydw!*

Ys gwn i ydi Siw wedi cadw ei rhai hi? Mi ofynna i iddi y peth cyntaf bore fory.

Dydd Llun, *Chwefror 6ed*

'Wedi cadw atyn nhw? Do, siŵr iawn,' medda Siw.

'Pob un?'

'Fydda i'n addunedu dim byd os na fedra i ei gadw fo,' medda Siw.

On'd ydi rhai pobl yn codi syrffed arnoch chi?

Dydd Mawrth, *Chwefror 7fed*

Mae Modlan drws nesa wedi pechu am byth! Wedi dringo trwy'r ffenest a bwyta'r cig ffres oedd ar y bwrdd.

Ond ar Dad roedd y bai. Wedi bod yn y siop, ac wedi anghofio ei gadw fo yn yr oergell. Roedd Mam o'i cho. Y hi a Dad yn ffraeo eto. A does run o'r ddau yn ffrindiau hefo Mr Preis.

Chwarae teg iddo. Mae o wedi gwario ffortiwn ar 'No-go'!

Dydd Mercher, Chwefror 8fed

Gwaith ysgol. Rhan o brosiect i'w orffen erbyn fory. Fedra i ddim dal straen fel hyn yn hir.

Dydd Gwener, Chwefror 10fed

'Wyt ti am anfon cerdyn Ffolant i Prysor?' meddwn i wrth Siw.

'Wn i ddim. Dydw i ddim eisio gwneud sioe ohona fy hun. Wyt ti?'

'Wn i ddim. Mi wna i, os gwnei di.'

Dyma ni'n sbïo ar ein gilydd ac yn dechrau pwffian chwerthin.

'O.K. ta.'

Dydd Sadwrn, Chwefror 11eg

Mae Wil Siop Magi yn dechrau mynd o dan fy nghroen i. Mae o'n sbïo'n od arna i ac yn trio ffalsio. Ac mi afaelodd o amdana i eto y bore 'ma. Ydi o'n un o'r dynion 'na hefo bysedd crwydrol? Be wna i os ydi o?

Dydd Sul, Chwefror 12fed

Mi roeddwn i'n cysgu'n braf ac yn breuddwydio am Derec Wyn pan neidiodd Llŷr ar fy mhen i.

'Dos o'ma'r cena bach,' meddwn i a rhoi hwyth iddo fo nes roedd o ar ei hyd wrth ochr y gwely.

Wel, mi fuasech chi'n meddwl fy mod i wedi'i ladd o! Mi waeddodd grio, ddigon i ddeffro'r stryd i gyd.

111

'O, cau dy geg, y babi,' meddwn i a throi ar fy ochr a thynnu'r dillad tros fy mhen.

'Gwenno wedi fy nghuro i. Wedi fy nharo i yn fy mhen. Ma nghlust i'n brifo,' medda fo'n dorcalonnus pan ddaeth Mam i mewn.

Roedd ei hwyneb fel bwbach.

'Os na fedr rhywun gael ychydig seibiant ar fora Sul,' medda hi'n flin. 'Rhag cywilydd iti, Gwenno, a chdithau bron yn bedair ar ddeg oed.'

'Y fo ddaru neidio ar fy mhen i a finna'n cysgu.'

Chymrodd hi ddim arni glywed.

'Paid â chrio, ngwas i,' medda hi gan ei arwain o'r llofft â'i braich amdano.

Mi ddobiais y gobennydd a sgyrnygu fy nannedd fel anifail gwyllt. Doedd neb yn y tŷ 'ma yn gwerthfawrogi dim arna i. O na! Llŷr oedd y ffefryn. Doedd dim rhaid iddo *fo* helpu yn y tŷ na rhedeg neges. Mi orweddais i'n ôl yn y gwely a meddwl beth fuaswn i'n ei hoffi ei wneud iddo fo. Ei ferwi mewn twb o olew chwilboeth, ei lwgu am ddeufis . . . neu gwell fyth, ei anfon i fyw hefo Nain Tawelfa. Rŵan, dyna ichi gosb!

A sôn am Nain Tawelfa. Does bosib eu bod nhw am aros gartra heddiw eto, a pheidio â mynd i'w gweld? A dydyn nhw byth wedi dweud wrthi fod Dad wedi colli'i swydd. Dydi ffonio'r drws nesa ddim run fath.

Roedd y storm wedi tawelu ychydig pan godais i er bod Llŷr yn bwyta'i frecwast gan sniffian bob yn hyn a hyn a smalio fod ei glust yn brifo.

'Dydw i ddim yn dy *licio* di,' medda fo pan aeth Mam i'r llofft.

'A dydw inna ddim yn dy licio ditha chwaith,' meddwn i.

Mi dynnodd ei dafod allan a chroesi'i lygaid arna i. Mi afaelais innau yn y gyllell fara a'i wahodd i ymestyn ei

112

dafod ychydig mwy er mwyn imi gael torri digon o damaid.

'Wnaet ti ddim.'

'Tria di iti gael gweld.'

'Faswn i ddim yn medru siarad wedyn.'

'Wel, Haleliwia!' meddwn i gan wenu'n fygythiol arno fo.

'Sut ma pobl heb ddim tafoda'n siarad, Gwenno?' medda fo.

'Wn i ddim. Welais i rioed neb. Wyt ti ffansi bod y cynta?'

Mi wenodd arna i wedyn. Ac mi wenais inna'n ôl hefyd. Dydi Llŷr ddim yn ddrwg i gyd.

Ffonio'r bobl drws nesa i Nain ddaru nhw.

Dydd Llun, Chwefror 13eg

Wythnos eto cyn y bydd hi'n hanner tymor. Hwrê!

Dydd Mawrth, Chwefror 14eg

Mi gefais i gerdyn trwy'r post y bore 'ma. Un â 'Will you be my Valentine?' tu mewn iddo. Ond does 'na ddim enw. Rydw i bron yn siŵr mai Derec Wyn a'i hanfonodd o.

Mi fuo mi ar bigau'r drain trwy'r dydd ... ac yn disgwyl i Derec Wyn sôn rywbeth am y cerdyn. Ond ddaru fo ddim. Does bosib mai rhywun arall a'i hanfon-odd? Oes gen i edmygydd dirgel?

Mi fedra i fy nychmygu fy hun yn derbyn tusw o flodau di-enw, (wrth gwrs mi fuasa fo'n edmygydd hefo pentyr-rau o bres) a'r rheiny yn cyrraedd carreg y drws bob bore Sadwrn. Ac efallai y buaswn i'n cael fy nharo'n wael ... dim byd ofnadwy, ond salwch diddorol a dieithr, fel firws o wlad bell. Mi fyddai pawb yn poeni uwch fy mhen, y meddygon yn crafu'u pennau a methu â gwybod beth i'w wneud nesaf. Ac mi fuaswn i'n gwella'n raddol ac yn gorwedd yn fy ngwely a'r blodau yn furiau lliwgar o gwmpas fy ngwely.

Ond mi fuasai'n well gen i y tusw bach disylw a dder-byniwn i gan Derec Wyn. Hwnnw fyddai ar y bwrdd bach wrth ochr fy ngwely.

Dydd Mercher, Chwefror 15fed

Mynd i lawr i'r dre amser cinio hefo Derec Wyn. Prynu pysgodyn a sglodion a cherdded dow-dow yn ôl i'r ysgol gan eu bwyta. Mi fuasai'r prifathro yn colli pob blewyn o wallt sydd ganddo petasai fo'n ein gweld ni.

Mae o wrth ei fodd yn paldaruo am gadw safonau'r ysgol, am beidio â gwneud sioe ohonom ein hunain, ac am beidio ag ysmygu yn y toiledau.

Dydw i ddim wedi cael pwff ar sigarét ers imi ddechrau mynd allan hefo Derec Wyn. Fedrwch chi ddim cadw cariad os ydi'ch anadl chi'n drewi, medda Siw. Ac mi rydw i'n dechrau cyd-weld â hi. Dydi Derec Wyn ddim yn smocio.

A rhaid imi gofio am adduned 8. Rydw i am gadw'n heini a byw yn iach. Wel, rydw i'n cael digon o gadw'n heini wrth fod yn sgifi gartre, felly mae'n well imi ddech-rau ar y cadw'n iach hefyd. Liciais i rioed sigarét gymaint â hynny, prun bynnag, ond fod pawb yn cael pwff i drio, a doeddwn innau ddim eisio bod yn wahanol. Dim ots gen i rŵan a Derec Wyn gen i.

Efallai y buasai'n well imi lanhau fy llofft heno. Mae mynydd o lwch o dan y gwely, a fedr Mam ddim plygu rŵan, medda hi.

Strach ydi disgwyl babi.

Dydd Gwener, Chwefror 17eg

Oer ofnadwy heddiw. Sbïo trwy'r ffenest wrth godi a chasáu meddwl am fynd i'r ysgol. Mi fydda i jest â rhynnu. Diolch byth! Gwyliau yr wythnos nesaf.

Derec Wyn a Prysor yn cynnig fod Siw a minnau yn mynd hefo nhw i ddysgu sglefrio.

'Be? Yn y rinc newydd 'na?' medda Siw. 'Grêt, tê, Gwenno?'

'Ia,' fe gytunais innau'n ddigon llipa. Fy nghas beth i ydi ymarfer corff o unrhyw fath, ac mi roeddwn i'n siŵr o wneud ffŵl ohonof fy hun.

'Mi ddysga i ti,' medda Derec Wyn. 'Mae o'n hawdd unwaith rwyt ti wedi cael y balans.'

Yna mi ddechreuais i boeni am y gost. Doedd yna ddim llawer o arian i'w sbario yn ein tŷ ni ar hyn o bryd. Ac hefo tymer Dad fel yr oedd o, wel, roedd yn well gen i beidio â gofyn.

Pedair punt oedd gen i o fy mhres gweithio. Tybed a fyddai hynny'n ddigon. Mi fyddai'n rhaid imi holi Siw.

'Wn i ddim,' medda honno pan holais i hi yn y bws ar y ffordd adra. 'Dew, paid â phoeni.'

Ond wir, chysgais i fawr wrth boeni. Beth petaswn i'n cyrraedd yno a dim digon i fynd i mewn gen i, heb sôn am dalu am hurio'r sgêts?

Dydd Sadwrn, Chwefror 18fed

Rydw i'n mynd yn fwy annifyr bob tro yr a i at Wil Siop Magi. Mae tu ôl i'r cownter 'na'n mynd yn fwy cyfyng bob dydd Sadwrn. Tybed a oes yna wersi hunan-amddiffyniad i'w cael rywle yn y dre 'ma?

Dydd Sul, Chwefror 19eg

Maen nhw wedi penderfynu mynd i weld Nain heddiw. Hen bryd. Rydw i'n siŵr ei bod hi'n teimlo. Mae Llŷr yn dŵad hefyd. Ys gwn i sut groeso gawn ni?

Roedd pawb ond Llŷr yn ddistaw ar y ffordd yno. Roeddwn i'n trio meddwl am Derec Wyn, Mam yn eistedd a'i llygaid ynghau yn y sedd ffrynt a Dad yn gyrru'n arafach ac arafach fel pe buasai'n gas ganddo feddwl am gyrraedd.

Tybed ddylwn i ddweud wrthyn nhw fod Nain yn gwybod yn barod? Mi fuasai'n rêl storm uwch fy mhen i wedyn. Ac mi ddywedodd Nain mai ein cyfrinach ni fuasai hi, on'd do?

Mi gyrhaeddon ni tua dau o'r gloch.

'Eeee-ee!' gwaeddodd Llŷr gan neidio allan a rhedeg fel peth gwirion o gwmpas yr ardd.

'Llŷr!' medda Mam yn wannaidd, 'Paid â gwneud cymaint o sŵn, da ti. Mae gen i gur yn fy mhen.'

'Pam mae'r llenni ar gau?' meddwn i'n sydyn.

Mi lygadodd Dad y ffenestri yn syfrdan gyflym, ac yna dyma fo'n dechrau rhedeg am y drws cefn. Mi drodd y dwrn a cheisio agor y drws, ond roedd o ar glo.

'Be sy, Myrddin?' holodd Mam â golwg gynhyrfus arni. 'Fedri di ddim agor y drws?'

Mi edrychodd y ddau ar ei gilydd am ennyd, cyn i Dad blygu a cheisio sbïo trwy'r twll llythyron.

'Mam! MAM!' gwaeddodd. 'Ble'r ydach chi? Agorwch y drws.'

Ond doedd dim ateb.

'Ma golau'r gegin ymlaen,' meddwn i wrth roi fy nhrwyn yn erbyn y gwydr a cheisio sbecian trwy'r llenni caeëdig. 'NAIN!'

'Rhaid inni dorri'r ffenest,' medda Dad yn wyllt. 'Ys gwn i oes 'na rywbeth yn y sied . . .'

'Be sy?' gofynnodd Llŷr wedi gorffen rhedeg o gwmpas yr ardd erbyn hyn. 'Nain heb godi?'

Brathu'i gwefus ddaru Mam heb ateb. Roedd fy nghalon innau'n troi erbyn hyn. Beth petasai hi'n sâl ers talwm . . . a ninnau heb fod yn ei gweld? Efallai ei bod hi wedi cael strôc neu drawiad ar y galon?

Mi ffrwydrodd dagrau tu ôl i'm llygaid. Doeddwn i ddim eisio i ddim byd ddigwydd i Nain . . . ddim â ninnau wedi bod yn esgeulus. Mi arhosai'r euogrwydd hefo mi am byth.

'Ar glo,' medda Dad wrth frasgamu yn ei ôl o'r sied.

'Drws nesa?' medda Mam.

Mi drodd Dad am y giât ar hanner ras.

'Gwaedda eto, Gwenno,' gorchmynnodd Mam. 'Efalla ei bod hi yn y llofft.'

Wedi i Dad gyrraedd yn ôl gyda'r dyn drws nesa fuon nhw fawr o dro â gorfodi'r ffenest ar agor. Mi ddringodd y ddau i mewn a'n gadael ninnau i boeni tu allan.

'O diar! Brysiwch,' erfyniodd Mam gan lygadu'r drws.

'Mi ddringa i ar eu hôl nhw,' meddwn i'n sydyn.

Ac i ffwrdd â mi trwy'r ffenest ac i'r gegin. A dyna lle roedd Nain yn sypyn diymadferth ar y llawr a Dad yn plygu drosti.

'Ambiwlans,' meddai. 'Agor y drws i dy fam, Gwenno. *Brysia*!'

A chyn inni droi bron, roedd Nain yn yr ysbyty a chriw o feddygon hefo hi tu ôl i'r llenni.

Roedden ni i gyd yn eistedd yn bur fflat tu allan i'r ward ddamweiniau ac yn sbecian yn boenus bob yn hyn a hyn er mwyn gweld a oedd rhywbeth yn digwydd.

'Ddylwn i ddim fod wedi ei gadael cyhyd,' ochneidiodd Dad yn drymaidd.

Ddywedodd neb ddim byd, ond mi welwn Mam yn estyn yn dawel i afael yn ei law. Hen le annifyr ydi ysbyty, yn enwedig pan ydych chi'n disgwyl dedfryd. Roedd meddygon a nyrsys yn brasgamu heibio, ond doedd neb am ddweud gair wrthyn ni.

'Faint ydyn nhw am fod eto, yn neno'r tad?' medda Dad yn aflonydd. 'Does bosib nad ydyn nhw wedi darganfod rhywbeth bellach.'

'Mr Jones?'

Mi neidiodd Dad ar ei draed fel pe buasai rhywun yn bygwth ei saethu.

117

'Ia. Be sy? Be ddigwyddodd? Ydi hi'n ymwybodol?'

'Mae hi wedi dweud gair neu ddau. Yn ddigon dryslyd wrth gwrs, a hithau'n diodda o hypothermia. Rhywbeth am fwlb a syrthio.'

'Ydi hi wedi brifo llawer?' gofynnodd Mam.

'Dydyn ni ddim wedi rhoi pelydr X iddi eto. Ond dydw i ddim yn meddwl ei bod wedi torri asgwrn. Rhaid ei chadw yma am ychydig ddyddiau i wneud profion, ac i'w gwella o effeithiau'r hypothermia.'

'Gawn ni ei gweld?'

'Am funud yn unig. Dim ond y chi eich dau. Rhaid ei chadw'n ddistaw.'

Mi eisteddodd Llŷr a minnau'n llonydd reit ar y cadeiriau anesmwyth.

'Ydi Nain am fod yn ôl reit?' gofynnodd Llŷr yn ofnus 'Ydi hi ddim am farw, yn nac ydi?'

'Nac ydi, siŵr,' meddwn i'n gysurlawn er bod yr ofn yn tyfu tu mewn imi. 'Hypothermia ddeudodd y meddyg.'

'Be 'di hwnnw?'

'Cael oerfel.'

'Run fath ag annwyd? Dy drwyn di'n rhedeg a phesychu?'

'Na . . . mynd yn oer oer.'

'Rhewi?'

'Tebyg.'

'O.'

Golwg pur ddigalon oedd ar Mam a Dad pan ddaeth y ddau o'r ward. A siwrnai ddistaw gawson ni'n ôl adre hefyd. Roedd geiriau yn byrlymu y tu mewn imi, ond fedrwn i mo'u dweud nhw rywsut. Ddim â gweld yr olwg boenus ar wyneb Dad.

Ond roedden nhw'n troi a throi yn fy meddwl i. Arnom ni mae'r bai. Fuon ni ddim yno ers tro. Arnom ni mae'r bai.

Mae Dad yn mynd i'r ysbyty y pnawn 'ma. Run fath ydi Nain, medda'r Sister pan ddaru fo ffonio amser brecwast. Wedi cael noson mor gysurus ag sydd i'w ddisgwyl. Wn i ddim beth mae hynny'n ei feddwl chwaith.

Roeddwn innau wedi trefnu i fynd i sglefrio y pnawn 'ma.

'Well imi aros gartra,' meddwn i wrth Dad, 'neu ddŵad i'r ysbyty hefo chi.'

'Aros i warchod Llŷr.'

'Ond ma Llŷr yn mynd i nofio hefo Garmon a'i fam.'

'Wel, dos dithau i sglefrio, ta. Chei di ddim gweld Nain petaset ti'n dŵad.'

Roeddwn i'n teimlo'n reit anfodlon wrth feddwl amdanaf fy hun yn mynd i jolihoitian a Nain yn yr ysbyty. Ond fedrwn i ddim meddwl am aros yn y tŷ ar fy mhen fy hun chwaith. A mynd wnes i.

'Nain wedi syrthio,' meddwn i wrth Siw cyn gynted ag y gwelais i hi.

'Rioed! Pa bryd?'

'Wyddon ni ddim. Efallai ei bod hi wedi bod ar lawr trwy'r nos. Hypothermia arni.'

'Mae hen bobl yn marw o hw . . .,' cychwynnodd Siw.

Yna dyma hi'n taro'i llaw tros ei cheg fel pe buasai hi'n difaru.

Ond roeddwn i wedi dechrau poeni am hynny fy hun. Mi fuo 'na raglen arno fo ar y teledu . . . yn dweud mor bwysig oedd i bobl mewn oed gadw'n gynnes . . . a gwisgo dillad iawn . . . a chael digon o dân a ballu. Ac mi wyddwn i'n iawn sut dân oedd gan Nain. Clapyn o lo a chwmwl o fwg.

Methiant llwyr fu fy ymdrechion i sglefrio. Doedd fy ysbryd i ddim yn yr ymdrech rywsut.

'Mi fydd dy nain yn iawn,' cysurodd Derec Wyn gan fy

nghodi oddi ar y rhew am yr ugeinfed tro. 'Mae hi yn yr ysbyty, yn tydi? Yn y lle gorau.'

'Y . . . ydi.'

'Wel, dyna fo, ta. Maen nhw'n gwybod be maen nhw'n 'i wneud yn fa'nno.'

Rhag imi sbwylio pnawn pawb arall mi driais i ymuno yn yr hwyl. Syrthio a chodi . . . codi a syrthio, a Siw yn chwerthin nes roedd hi'n sâl wrth afael yng nghwt Prysor a chael ei thynnu fel cerbyd tu ôl i injan drên ar hyd y rhew. Roedd fy nhraed i'n saethu i bob cyfeiriad, ac mi gefais i sawl codwm digon ciaidd hefyd. Ond roedd Derec Wyn yno i'm codi ac i afael yn dynn amdana i wedyn. Ac mi wyddwn ei fod o'n deall sut roeddwn i'n teimlo.

Fedrwn i yn fy myw fy narbwyllo fy hun nes imi gael cyrraedd adre a chael holi Dad trosof fy hun. Ond siomiant arall gefais i. Doedd o ddim yno pan gyrhaeddais i, dim ond nodyn ar y bwrdd yn gofyn imi baratoi cinio a mynd i chwilio am Llŷr rhag ofn fod mam Garmon wedi cael digon arno fo.

'Gad lonydd iddo fo yma, Gwenno. Dydi o dim trafferth,' medda hi. 'Sut mae dy nain?'

'Wn i ddim nes daw Dad adra.'

Ysgwyd ei phen ddaru hi.

'Peth garw ydi oerfel i hen bobl.'

Mi ddechreuais baratoi'r cinio yn llipa ddigon ac agor fy llyfrau ysgol yr un mor llipa wedyn hefyd. Roedd yna bentwr o waith cartref i'w wneud tros y gwyliau. Wn i ddim pam mae'n rhaid i'r athrawon roi dim . . . maen *nhw*'n cael seibiant iawn eu hunain. Ond roedd fy meddwl i'n mynnu crwydro tua'r ysbyty.

Ble goblyn oedd Dad? Am ba hyd oedd yr oriau ymweld? Efallai na ddeuai o adre tan yn hwyr heno.

Yna mi glywais i sŵn y car yn y dreif ac mi redais at y drws. Roedd Mam yn y car hefyd. Mae'n rhaid fod Dad wedi ei nôl o'r swyddfa. Tybed a oedd y ddau wedi bod yn gweld Nain?

'Sut mae hi? Fuoch chi yno hefyd? Gafodd hi brawf pelydr X?'

'Aros inni gael dŵad i'r tŷ wir, Gwenno,' medda Mam yn flinedig. 'Mae Nain yn well na'r disgwyl. Wedi cracio'i 'sennau. Mi fydd i mewn am rai dyddiau.'

'I ble yr aiff hi wedyn? Yma?'

Mi edrychodd y ddau ar ei gilydd, ond ddywedon nhw run gair.

Dydd Mawrth, Chwefror 21ain

I ble mae Nain am fynd?

Dydd Mercher, Chwefror 22ain

Mi gefais fynd i'r ysbyty hefo Dad y pnawn 'ma. Mae Nain yn well. Mi brynais focs hancesi papur iddi . . . rhai pinc a smotiau pinc tywyll arnyn nhw. Roeddwn i wedi bwriadu prynu blodau, ond doedd gen i ddim digon o bres a finnau wedi talu am sglefrio dydd Llun.

Roedd hi'n edrych yn welw a gwan er ei bod hi'n hanner eistedd yn y gwely.

'Wel, Gwenno, mi ddoist,' medda hi a rhyw hanner gwenu arna i.

'Ydach chi'n well, Nain?' meddwn i.

'Ydw, ngenath i.' Ond roedd ei gwefus yn crynu wrth ateb.

'Mi a i i gael gair hefo'r Sister,' medda Dad.

'Ia,' medda Nain. 'Dos di.'

Mi eisteddais i wrth y gwely a gafael yn ei llaw.

'Mendio sydd eisio ichi rŵan, Nain.'

'Wyt ti'n meddwl?'

'Siŵr iawn. Mi fyddwch chi allan o'r ysbyty 'ma cyn ichi droi bron.'

121

'Dydw i ddim eisio mynd i gartra.'

'Ewch chi ddim siŵr.'

Rargol! Roedd 'na lwmp fel wy iâr yn fy llwnc i.

'Mynd fydd yn rhaid imi os y cân nhw eu ffordd.'

Pa nhw? Mam a Dad oedd hi'n ei feddwl? Fedrwn i ddweud run gair. I ble yr âi Nain?

Dydd Gwener, Chwefror 24ain

Rydw i'n ôl yn y gwely gwersyllu eto. Yma y daeth Nain. Mae hi wedi ei gosod ei hun fel brenhines yn fy llofft i, ac yn gorchymyn pawb a phopeth.

'Gwenno, rydw i'n ffansïo panad o de. Hefo digon o siwgr ynddi hi. A bisgedan fach os oes 'na un.'

'Myrddin, mae hi braidd yn oer yma. Blanced arall tros fy nhraed i.'

'Mi fuaswn i'n licio tamaid bach o bysgodyn. Wedi ei goginio'n ysgafn. Rhywbeth blasus i godi awch ar ôl bwyd yr ysbyty 'na.'

Mae Mam wedi mynd i'w gwely hefo cur yn ei phen.

Dydd Sadwrn, Chwefror 25ain

Mi fuo mi'n troi a throsi trwy'r nos. Mae'n gas gen i y gwely gwersyllu a chael fy ngorfodi i gysgu yng nghilan y landin. A pham y fi bob tro? Beth am dro Llŷr? Mi wn i mai llofft bocs matsys sydd ganddo fo, ond fuasai fymryn o ots gen i gysgu ynddi hi. Rhywle heblaw'r landin.

Mae'r doctor yn dweud fod Nain mewn tipyn o boen hefo'i 'sennau, a does ryfedd ei bod hi'n anodd i'w thrin. Pwysig iddi godi bob dydd, medda fo.

'Dydi'r dyn ddim yn gwybod am be mae o'n sôn,' medda Nain. 'Tasa ganddo fo gymaint o boen ag sydd gen i, yn ei wely y buasa fynta hefyd.'

A dyma hi'n rhoi ochenaid ddofn ac yn edrych yn dila dila yn ei gwely.

'Dos i nôl panad fach imi, Gwenno. Rhywbeth tros fy nghalon i.'

Wil Siop Magi yn rêl niwsans yn y bore, Derec Wyn yn gariad i gyd yn y pnawn, Nain fel y diafol ei hun eto gyda'r nos.

Mae rhychau'n dyfnhau ar fy wyneb i. Dim rhyfedd a ninnau mewn ffasiwn strach yn y lle 'ma!

Dydd Sul, Chwefror 26ain

Mae Nain wedi troi'r tŷ 'ma a'i din am ei ben, ac mae nerfau pawb yn rhacs!

Dydi hi ddim am godi o'i gwely, waeth beth ddywed y doctor ac mae hi'n disgwyl tendars trwy'r dydd. Rydw i wedi colli cownt o'r paneidiau te yfodd hi ers pan ddaeth hi yma.

Dydd Llun, Chwefror 27ain

Does gen i ddim nerth i sgwennu gair a finnau wedi rhedeg cymaint wrth dendio ar Nain. Rydw i ffansi mynd am fath a cheisio cyfri'r cyrn sy'n magu ar fy nhraed. Dwsinau ohonyn nhw!

Dydd Mawrth, Chwefror 28ain

Mae Nain yn teimlo'n well heddiw. Roedd hi'n eistedd yn fflons yn ei gwely pan es i â phaned boreol iddi.

Mi *wenodd* arna i a *diolch* imi! Ond roedd golwg filwriaethus braidd yn ei llygaid. Fel pe buasai hi am dalu'n ôl i rywun.

'Ble ma dy dad?' medda hi wedi gwisgo'i dannedd gosod.

Mi aeth 'na ias trwy nghorff i. Fedra i yn fy myw beidio â theimlo'n annifyr wrth weld ei dannedd plastig pinc yn diflannu i'w cheg. Does ots gen i faint o weithiau fydd yn rhaid imi fynd at Rhys ap Dafydd, ond iddo ofalu na cha i rai fel'na.

'O . . . i lawr y grisia,' meddwn i wrth gofio am ei chwestiwn.

'Deuda wrtho fo am ddŵad i fyny.'

Ochneidio ddaru Dad pan ddeudais i wrtho.

'Be eto?' medda fo'n ddiflas.

'Y chdi oedd eisio iddi ddŵad,' medda Mam yn reit ddi-deimlad.

'Mae hi'n *fam* imi, Menai,' medda fo fel y cododd oddi wrth y bwrdd.

'Ydi, mae hi. Sori, Myrddin. Mae croeso iddi yma nes y mendith hi, ysti.' Ochneidiodd Mam yn ei thro. 'Ond iddi beidio bod yma am byth.'

Dringodd Dad am y llofft.

Roeddwn i ar fin achub cam Nain, a dweud mai sâl oedd hi, ac ofn cael ei hanfon i gartre . . . ac nad oedd hi llawn mor gas â hynny, pam dorrodd Mam ar fy nhraws.

'Gwenno, dos â'i hambwrdd i fyny. All Bran a'r llefrith poeth 'na oddi ar y stof.'

'Ond newydd gael ei phaned ma hi,' meddwn i.

Mi bwysodd Mam ei dwylo ar ei phen.

'Dos â fo i mi gael llonydd, bendith tad iti. A, Llŷr, bwyta dithau dy frecwast fel pawb arall a phaid â gwneud llanast hefo'r Corn Flakes 'na. A brysia, Gwenno, neu mi golli di'r bws ysgol.'

Roedd Dad yn sefyll wrth ochr y gwely a Nain yn siarad pan gyrhaeddais i'r llofft.

'Does dim angan iti aros gartra i dendio arna i, Myrddin,' medda hi mewn llais gwantan. 'Fflasg a thipyn o frechdanau, ac mi ddiodda i orau galla i tan amsar te.'

Mi edrychodd i fy nghyfeiriad wrth ddweud, ac mi fuaswn i'n medru taeru ei bod hi'n mwynhau pob gair.

'Y . . . y . . .' medda Dad.

'Maen nhw dy angan di yn y cwmni 'na bellach,' medda hi wedyn gan ddechrau bwyta'r All Bran yn reit ddiniwed.

124

'Y . . . wel, nac ydyn,' medda Dad.

'O?'

Mi ataliodd Nain ei llwy am ennyd.

'Dim llawar o ordors dechrau'r flwyddyn fel hyn, debyg.'

A dyma hi'n rhoi rhyw dro bach i'r All Bran cyn rhoi llwyaid arall yn ei cheg.

'Rydw i wedi fy niswyddo. Ers dechrau'r flwyddyn.'

'Diar bach! Pwy fuasa'n meddwl?' medda Nain mewn syndod. 'A finna'n credu mai chdi oedd y pen dyn tua'r ffatri 'na.'

Ysgydwodd ei phen a llwyeidio rhagor o'r All Bran i'w cheg.

Roeddwn i'n geg agored wrth ochr y gwely. Nid nain ddylai hi fod ond actores ar y teledu. Welais i neb yn rhoi cystal perfformiad.

Dydd Mercher, Mawrth 1af

Dydd Gŵyl Ddewi. Mi wisgais Genhinen Pedr i fynd i'r ysgol. Rydw i'n falch mai Cymraes ydw i.

Dad yn mynd â Mam allan i noson lawen a chinio heno. Wedi syrffedu ar aros i mewn â Nain yma maen nhw. Wn i ddim sut maen nhw'n medru fforddio chwaith, ac yntau heb swydd. (Roedd o'n deddfu digon ynglŷn â chost y ffôn, on'd oedd?)

Mi gefais gip ar y fwydlen yn yr hysbyseb papur newydd. Mae yna Gawl Cennin, Cyw Iâr Cymreig, a Phwdin Eryri. Ac i'w cadw nhw'n ddiddan yn ystod y pryd bwyd mae 'na delynores, a chantores enwog. Mi fuasai'n well gen i ddisgo a grŵp hefo dipyn o 'go' ynddyn nhw.

Nain a fi a Llŷr gartre ar ein pennau ein hunain.

Syrpreis! Syrpreis!

'Mi goda i am dipyn bach,' medda Nain cyn gynted ag y caeodd y drws tu ôl i Mam a Dad. 'Estyn fy ngwnwisg i, Gwenno.'

A chodi ddaru hi, er ei bod hi'n cwyno a grwgnach bob tro roedd hi'n trio symud. Mi gerddodd yn ddigon simsan o gwmpas y llofft a finnau yn cynnal ei braich hi, ac yna mi eisteddodd yn y gadair wrth y tân trydan a ryg gwlanog tros ei choesau.

'Ydach chi'n iawn, Nain?' meddwn i.

'Ydw,' medda hi a'i llygaid ar sgrîn y teledu bach symudol.

Mi drefnais i'r gwely'n dwt a symud y rincls o'r cynfasau yn barod erbyn yr âi hi yn ei hôl. Efallai mai nyrs fydda i wedi imi dyfu i fyny. Rwy'n siŵr fod gen i law arbennig i weini ar y claf. Sbïwch fel y gofalais i am Llŷr y diwrnod hwnnw . . . cymryd ei wres a phopeth, a dyma fi rŵan yn gofalu am Nain yr un mor effeithiol a phroffesiynol.

Mi wyliasom ni Bobol y Cwm a rhaglen gomedi wedyn.

'Sothach,' medda Nain (wedi ei gwylio i'r diwedd un).

'Pam fuasech chi'n dweud, ta?' meddwn i. 'Mi fuaswn i wedi symud i sianel arall.'

'Waeth iti sothach Cymraeg na sothach Saesneg ddim,' medda hithau. 'Ble mae Llŷr?'

'Gwylio ffilm i lawr y grisia.'

'Wel, mae'n amsar iddo fynd i'w wely. Fedra i ddim diodda gweld plant ar eu traed yn hwyr.'

Hanner awr wedi wyth oedd amser gwely Llŷr.

'Mi wna i baned, Nain.'

'Ia.'

Roedd yn braf cael dianc i lawr y grisiau am ychydig. Mi rois i fy mhen heibio i ddrws y lolfa jest i sbecian ar Llŷr rhag ofn ei fod o'n mynd tros ben llestri. Ond â'i drwyn ynghlwm wrth y teledu roedd o.

'Ffilm dda? Pa bryd ma hi'n gorffen?'

Chymrodd o fawr o sylw.

'LLŶR! Pa bryd ma hi'n gorffen?'

'Naw.'

'Rwyt ti i fod yn dy wely hanner awr wedi wyth.'

'O, Gwenno! Ddim ond am heno. Ma hi'n un dda.'

'Ga i weld.'

Roeddwn i'n teimlo'n rêl meistres wrth fynd am y gegin. Mi ganodd y ffôn.

'Hylo!'

Doeddwn i ddim am ddatgelu'r rhif rhag ofn mai galwad anweddus oedd hi . . . rhywun yn anadlu'n drwm . . . neu'n bygwth dŵad draw, a finnau hefo neb ond Nain fethedig a brawd bach i fy achub i.

'Gwenno. Derec Wyn sy 'ma.'

Syrpreis! Fydd o ddim yn ffonio llawer ganol wythnos.

'Be sy?'

'Dim. Meddwl y buaswn i'n dy ffonio.'

Roedd rhieni Derec Wyn wedi mynd i'r cinio hefyd. Ys gwn i ddoen nhw ar draws ei gilydd?

Mi aeth hanner awr heibio heb imi sylweddoli, ac am wn i mai siarad y buaswn i wedi hynny oni bai i Llŷr ddŵad o'r lolfa a chwyno ei fod o eisio brechdanau cyn mynd i'w wely.

'Rargol! Rhaid imi fynd,' meddwn i gan gofio am Nain. 'Wela i di fory.'

Mi garlamais i fyny'r grisiau a chant o esgusion yn eu herlid ei gilydd trwy fy mhen i.

'Nain! Sori . . .'

Ac yna mi ges i fraw ofnadwy. Roedd hi'n hanner gorwedd yn y gadair a golwg sâl ofnadwy arni hi.

'Ew, dach chi'n iawn?' meddwn i a fy nghalon yn dry-bowndio.

'Ydw,' medda Nain yn wantan. 'Methu . . . symud . . . hefo'r . . . ochr 'ma.'

Mi'i helpais i hi'n ôl i'r gwely a nôl potel ddŵr poeth i'w rhoi wrth ei hochr. Roedd hi'n edrych tipyn yn well erbyn hynny, yn enwedig wedi imi ddŵad â phaned iddi hefyd.

'Sori, Nain,' meddwn i wedyn. 'Derec Wyn ffoniodd a . . .'

Gwenu braidd yn gynnil ddaru hi.

'Ia . . . wel,' medda hi braidd yn erbyn ei hewyllys. 'Rydw i wedi bod yn ifanc fy hun.'

Mae Nain a fi yn ffrindiau. Waeth gen i am ei thafod pigog.

Dydd Gwener, Mawrth 3ydd

Nain a fi yn ffrindiau? Byth! Mae hi wedi cwyno a chwyno ers nos Fercher, ac er nad ydi hi wedi achwyn amdana i wrth Dad a Mam, mae hi wedi gwrthod codi o'i gwely wedyn dim ond i fynd i'r toiled, ac wedi edliw droeon imi mai arna i mae'r bai. Carcharor ar y landin fydda i am byth. Fedra i ddim chwarae recordiau na chau arnaf fy hun a meddwl am Derec Wyn, a waeth i Siw heb â dŵad yma . . . does gynnon ni unlle i rannu cyfrinachau.

Mi gwynais i wrth Mam.

'Pam ma'n rhaid i mi gysgu ar y landin? Beth am Llŷr?' meddwn i'n bwdlyd.

'O . . . Gwenno, rwyt ti'n gwybod fod Llŷr yn mynd i'w wely'n fuan. Fuasa fo byth yn cysgu a ninnau'n mynd a dŵad ar y landin o hyd. Fydd dim rhaid iti fod yna'n hir. Ma Nain yn gwella bob dydd.'

Dydd Sadwrn, Mawrth 4ydd

Choeliech chi byth, ond rydw i'n cael fy mhen-blwydd dydd Llun. Ond does neb yn cymryd arno. Mi fydda i'n bedair ar ddeg oed . . . a does run ohonyn nhw yn y tŷ 'ma'n cofio.

Mae Mam yn rhy brysur yn meddwl am y babi ac yn cwyno am Nain; mae Dad yn cadw'r ddysgl yn wastad ac

128

yn rhedeg i fyny ac i lawr y grisiau trwy'r dydd . . . heblaw ei fod o'n sgrifennu am sawl swydd, a fydd Llŷr byth yn cofio am ben-blwydd neb.

Rydw i wedi suddo i ddigalondid llwyr.

'Pum munud yn hwyr,' medda Wil Siop Magi gan wenu fel cath Caer pan gyrhaeddais ychydig wedi chwarter i naw. 'Ond mi gei faddeuant . . . dim ond iti fod yn glên hefo mi, tê?'

Mi edrychais yn reit ddrwgdybus arno fo wrth gadw fy nghôt. Mae o'n dweud hen bethau gwirion fel'na yn aml rŵan ac yn gwneud imi deimlo'n annifyr. Ond ei ddiodda fo fydd yn rhaid imi, â minnau wedi erfyn cymaint am gael gweithio.

Roedd hi'n brysur ofnadwy yn y siop. Pawb eisio prynu fferins a sigarennau a phapurau newydd nes roeddwn i'n dyheu am weld amser cinio. Mae Derec Wyn yn dŵad i'n tŷ ni y pnawn yma. Fydda i ddim yn gofyn iddo fo'n aml. Am fod Dad allan o waith a golwg flêr arno weithiau . . . dim yn siafio'n gynnar na dim byd . . . a rŵan am fod Nain acw hefyd.

Mi fydd yn rhaid imi ddweud wrth Derec Wyn fod Dad wedi colli'i swydd. Wn i ddim pam rydw i wedi celu cyhyd. Does dim cywilydd i neb fod heb waith y dyddiau yma.

Dydd Sul, Mawrth 5ed

Haleliwia! Mi gododd Nain heddiw . . . a mentro i lawr y grisiau hefyd. Fydda i fawr o dro cyn symud yn ôl i fy llofft rŵan.

Does neb wedi sôn gair am fy mhen-blwydd . . . a mae pen-blwydd pedwar ar ddeg yn *bwysig*!

Dydd Llun, Mawrth 6ed

Deffro mewn cwmwl o ddigalondid. Diwrnod pwysig yn fy mywyd a neb yn *cofio*!

Mynd i lawr y grisiau fel pe buasai pob gris yn fynydd. Mam a Dad a Llŷr yn eistedd wrth y bwrdd a phawb yn bwyta'i frecwast yn ddigon didaro. Be sydd arnyn nhw? Ydyn nhw ddim yn gweld golwg hŷn arna i? Golwg pedair ar ddeg oed?

'Pen-blwydd Hapus, Gwenno,' medda Mam.

'Ia, Pen-blwydd Hapus,' ategodd Dad.

Mi dynnodd amlen o'i boced.

'Rhywbeth iti. Ond, cofia, fedrwn ni ddim fforddio cymaint eto hefo'r babi a phopeth.'

Mae hwnnw'n siŵr o ddifetha pethau, mi feddyliais wrthyf fy hun. Mi fydd eisio Banc Lloegr i'w gadw mewn dillad . . . a chôt . . . a choets . . . a theganau . . . a chant a mil o bethau eraill.

Rydw i wedi penderfynu na fydd bywyd byth run fath wedi iddo fo gyrraedd. Mae hi'n ddigon sobr yma hefo Nain Tawelfa'n grwgnach a mynnu'i thendars. Ond dydi hi ddim yn bloeddio crio o fore tan nos, yn nac ydi? Nac yn maeddu clytiau a thaflu i fyny.

Sioc farwol! Roedd yna ddau bapur decpunt hefo'r cerdyn.

'Mi gei dyllau yn dy glustiau,' medda Mam, 'a chlust-dlysau cysgu hefyd.'

'O, Mam . . . Dad!'

Roeddwn i ar ben fy nigon. Ugain punt! Ddaru mi rioed feddwl y buaswn i'n cael cymaint.

'Wel, mi rwyt ti wedi rhedeg digon hefo Nain,' medda Dad. 'Ac wedi rhoi dy lofft iddi hefyd. Ond, cofia, mae arian yn prinhau yma . . . a phan ddaw'r babi . . .'

Ia, pan ddaw'r babi. A beth os bydd Dad yn dal yn ddi-waith? Ond mi ledaenodd teimlad cynnes braf tros fy nghorff wrth fodio'r papurau decpunt. Y teimlad hwnnw a gewch chi pan wyddoch chi fod pobl yn gwerthfawr-ogi'ch ymdrechion chi. Y teimlad fod pob peth ydych chi wedi'i ymdrechu'i wneud yn werth chweil. Teimlad braf!

130

'Ma gen i gerdyn,' medda Llŷr. 'Un brynais i hefo fy mhres poced. Drud oedd o hefyd.'

'Diolch, Llŷr. Un neis.'

'Dos â hambwrdd Nain i fyny iddi,' medda Mam. 'A brysia, neu mi fyddi'n hwyr am yr ysgol.'

Yn ôl i'r hen drefn! Mi dybiech y buaswn i'n cael maddeuant llwyr o fy ngorchwylion ar ddiwrnod pen-blwydd . . . ond dim peryg! Mae Nain Tawelfa eisio'i thendars run fath.

'Hiya, Nain,' meddwn i wrth gyrraedd y llofft.

'Hiya, wir,' medda hi. 'Siarada Gymraeg fel pawb arall.'

Ond fedrai dim byd amharu ar fore bendigedig fy mhen-blwydd. Roedd gen i ugain punt yn fy mhoced . . . a'r Sadwrn nesaf, mi fyddwn i'n cael tyllau yn fy nghlustiau.

'Estyn y bag 'na imi,' gorchmynnodd Nain gan ei chodi ei hun ar ei heistedd.

Mae hi am rannu'i ffortiwn hefo mi, mi feddyliais yn syth. Wedi deall fod fy mhen-blwydd i heddiw a'i chalon hi wedi'i meddalu. Faint ga i? Deg, ugain . . . deugain punt?

'Rwyt ti'n hogan reit dda,' medda hi gan balfalu yng ngwaelodion ei bag. 'Mae gen i anrheg fach iti. Hwda . . . a chymer ofal ohoni hi.'

A dyma hi'n estyn bocs bychan bregus imi.

Wel, doedd gen i ddim obadeia beth oedd ynddo. Ond pan agorais i o, roedd yna fodrwy henffasiwn tu mewn.

'Modrwy ges i gan dy daid erstalwm,' medda hi.

'O . . . Nain!' Wyddwn i ddim beth i'w ddweud. 'Wir yr! I mi?'

'Cymera hi rhag ofn imi newid fy meddwl,' medda hi'n reit siort.

Mi'i rhoes i hi am fy mys ac edmygu fy llaw o hirbell. Roedd hi'n edrych yn grêt! Yr anrheg ben-blwydd orau a gefais i rioed.

Mi roes i glamp o gusan i Nain a'i gwadnu hi fel randros i lawr y grisiau i'w dangos.

'Cadw hi'n saff yn y drôr,' medda Mam. 'Rwyt ti'n hwyr.'

Mi waeddodd pawb 'Pen-blwydd Hapus' pan ddringais i ar y bws . . . a gwneud sylwadau am y gwallt gwyn oedd gen i a rhychau henaint oedd ar fy nhalcen. Mi fuo bron imi â dweud wrthyn nhw mai rhychau fuasai ganddynt hwythau hefyd petasen nhw wedi tendio ar Nain Tawelfa am jest i bythefnos.

Mi roddodd Siw barsel bach ar fy nglin . . . sebon 'Temtasiwn' medda hi cyn imi gael cyfle i'w agor . . . ac mi gefais i lond gwlad o gardiau pen-blwydd . . . un hyd yn oed gan Gwen. Efallai i bod hi wedi rhoi'r gorau i bwdu.

Mi gefais i gerdyn *ardderchog* gan Derec Wyn amser cinio. Un del, hefo pennill cariadus ynddo fo.

> 'Cerdyn a roddaf
>   I eneth sy'n dlos.
> Yr eneth a garaf
>   O fore tan nos.'

'O . . . Derec Wyn!' meddwn i pan ddarllenais i o.

'Paid â'i ddangos o i neb, yn na wnei?'

'Be? Pam?'

Mi wridodd braidd.

'Wel, . . . dim eisio iddyn nhw bryfocio, tê.'

'Wna i ddim!' meddwn i'n bendant. 'Ddim hyd yn oed i Siw.'

Ond eto, roeddwn i'n siomedig braidd. Petaswn i wedi prynu un hefo pennill fel'na iddo fo, fuasai dim ots gen i petasai'r byd i gyd yn gwybod.

Roedd awyrgylch llosg yn ein tŷ ni pan gyrhaeddais adre. Mi wyddwn i ar unwaith fod yna eiriau croes wedi bod . . . a chan nad oedd neb ond Dad a Nain yna, roedd yn amlwg mai nhw fuo wrthi.

Y sioc gyntaf gefais i wedi mynd i'r lolfa oedd gweld Nain yn eistedd wrth y tân a Modlan ar ei glin!

'*Modlan*!' meddwn i a'm llais yn codi tôn neu ddwy. 'Ond roeddwn i'n meddwl . . .'

'Ma Modlan yn iawn ble ma hi,' medda Nain. 'Does dim disgwyl i'r gath fyhafio os ydi pobl yn gadael pethau ar led ymyl.'

A dyma hi'n dechrau mwytho Modlan. Wrth gwrs, roedd Modlan wrth ei bodd ac yn canu grwndi tros y lle.

'Be ddeudith Mam?' meddwn i wrth ddilyn Dad i'r gegin. 'Mae Modlan wedi'i gwahardd o'r tŷ 'ma ers mis.'

'Tria di ddweud hynny wrth dy nain,' medda Dad yn sur.

Roeddwn i'n eitha blin wrth feddwl am y strach a gefais i droeon wrth drio cau'r drws yn wyneb Modlan, heblaw fy mod i wedi gorfod gwrando ar ei mewian torcalonnus am oriau wedyn. Ond roedd Modlan wedi'i dedfrydu i waharddiad parhaol o'n tŷ ni . . . a beth ddywedai Mam pan ddeuai hi adre heno? Mi fyddai 'na rycsiwns!

Mi gyrhaeddodd Llŷr ar wib o dŷ Garmon.

'Ga i baced o greision? Ma Garmon a fi'n mynd i reidio beic.'

'Estyn un iddo fo, Gwenno,' medda Dad gan eistedd yn llipa wrth y bwrdd.

'*Siwgr gwyn*!' meddwn i wrthyf fy hun. 'Ydi 'i freichiau o'n gorffen yn ei arddyrnau, ta be?'

Mi es i ati'n ddigon pwdlyd . . . a chymryd un i mi fy hun run pryd.

'Ydi Nain eisio te?' holais.

'Os medr hi sbario'r amser rhwng mwytho'r gath,' medda Dad.

Am unwaith roedd o wedi plicio'r tatw a pharatoi'r

cinio . . . eisio dianc oddi wrth dafod Nain ac oddi wrth Modlan hefyd debyg! Felly mi es i trwodd at Nain.

'Ydach chi eisio paned?' gofynnais.

'Tyrd yma i ddweud sut ddiwrnod gest ti,' medda hi. 'Wyt ti wedi cadw dy fodrwy'n saff?'

'O do, Nain. Yn nrôr y seidbord. Ma hi'n grêt.'

'Ia, dy daid roes hi imi. Yr anrheg gynta ges i ganddo.'

Mi eisteddais i lawr wrth ei hochr ac agor fy mhaced creision.

'Gymrwch chi un?'

Mi gymrodd Nain un a'i chnoi'n araf freuddwydiol.

'Roedden ni wedi bod yn Llandudno. Un o'r tripiau ha 'na.'

Roedd Modlan yn cysgu'n sownd.

'Deudwch yr hanes wrtha i, Nain.'

Yn sydyn roeddwn i eisio gwybod mwy am Nain. Sut un oedd hi ers talwm? Pa bryd ddaru hi gyfarfod Taid a ballu?

'Deudwch wrtha i,' meddwn i eto.

Roedd golwg bell freuddwydiol ar ei hwyneb fel y mwythai Modlan yn rhythmig araf.

'Un da oedd dy daid. Yn llawn hwyl a thriciau, ond yn hogyn caredig hefyd. Dyna iti y peth pwysica mewn hogyn . . . ei fod o'n garedig.'

Dyma hi'n atal y mwytho am ennyd.

'Ydi'r hogyn 'na sy gen *ti* yn un caredig?'

Ac yna heb ddisgwyl imi ateb dyma hi'n mynd yn ei blaen.

'Ia, hogyn tal golygus, llygaid gleision ganddo fo a gwallt yn donnau duon ar ei gorun. Gweithio ar y rheilffordd. Roedd o'n *ddyn* yn ei ddillad gwaith . . . yn gyhyrog gryf . . . digon i ddenu llygaid unrhyw hogan.'

Fedrwn i yn fy myw gysoni'r darlun hefo'r cof bychan oedd gen i am Taid . . . yn enwedig y gwallt tonnog ar ei gorun. Cudynnau syth bin tenau oeddwn i'n eu cofio.

'Deudwch wrtha i am y trip. Y trip i Landudno pan gawsoch chi'r fodrwy.'

Ac yna, *jest* pan oedd hi'n mynd i ddweud rhagor wrtha i, dyma Mam yn cyrraedd adra.

'Ia,' medda Nain yn sydyn a'i hwyneb yn newid. 'Mi gymra i banad, Gwenno. Fuasa fawr i dy dad ddŵad ag un imi, yn lle llercian yn y gegin 'na fel pe buasa fo ofn dangos ei drwyn. Dydi bod allan o waith ddim yn esgus i ddiogi . . . a dyna ddeudis i wrtho fo hefyd.'

Dyna ddiwedd ar y stori am heno, mi feddyliais wrthyf fy hun.

'Mi fydd cinio mhen hanner awr,' mi fentrais ei hatgoffa. 'Ydach chi eisio panad hefyd?'

'Wrth gwrs fy mod i, neu fuaswn i ddim yn gofyn amdani,' medda hi'n ddigon siort.

O wel, ochneidiais innau'n ddistaw. Traed Gwenno'n gwisgo at yr asgwrn eto.

Roedd hi'n andros o storm pan gyrhaeddais y gegin.

'*Be* ddeudist ti? Dydi'r gath 'na ddim i ddŵad i'r tŷ 'ma, a dyna ben arni.'

'Rydw i wedi dweud . . .'

'Ond ddim wedi rhoi dy droed i lawr. O, Myrddin, fedra i ddim dal llawer rhagor. Ddim i gael dy fam yn ypsetio pawb a phopeth ac yn deddfu fel pe buasai piau hi'r lle. A ddim yn cynnig ceiniog am ei lle, ac yn gwybod dy fod ti allan o waith. Does bosib nad ydi hi'n ddigon da i fynd adra erbyn hyn.'

Mi afaelais yn y tecell a'i lenwi wrth y sinc.

'A be wyt ti'n ei wneud?' gofynnodd Mam yn ffyrnig.

'Nain eisio panad,' meddwn innau'n ddigon diniwed.

'Mi gaiff ddisgwyl a chael panad ar unwaith â phawb arall. Myrddin, rydw i wedi cyrraedd pen fy nhennyn. Ma'n rhaid iddi *fynd*!'

Ond pan aethom ni i'r lolfa roedd Nain yn fach fach yn y gadair a golwg welw arni.

'Y poen 'ma yn fy ochr yn dal ar fy ngwynt,' medda hi. 'Rydw i'n meddwl yr a i i fy ngwely. Os ca i afael yn dy fraich di, Gwenno.'

Mi drodd Mam yn ôl am y gegin a'i hwyneb yn bictiwr. Nain a enillodd unwaith eto.

Dydd Mawrth, Mawrth 7fed

Mae Dad am brynu paent ac am beintio'r gegin. Mi fu Mam yn swnian arno fo ers cantoedd, ond rydw i'n amau mai presenoldeb Nain ydi'r gwir reswm iddo ddechrau arni.

'Fedra i ddim diodda gweld dyn yn segura,' medda Nain. 'Allan o waith neu beidio.'

Dydd Mercher, Mawrth 8fed

Mae'r tŷ 'ma fel neuadd ffair sborion, a fedra i ddarganfod dim rydw i'i angen.

'Mam . . . ble ma fy sanau du fi? Roedden nhw ar rac y gegin ddoe.'

Ochneidiodd Mam fel y'i gollyngodd ei hun i gadair yn y lolfa.

'Wn i ddim, wir, Gwenno. Gofyn i dy dad.'

Roeddwn i'n falch o weld Dad yn gafael ynddi, ond mae'n gas gen i fethu â chael hyd i'm pethau.

Dydd Iau, Mawrth 9fed

Arogl paent yn treiddio i bob man. Dad yn chwibanu wrth ei waith. Mae o wedi sgrifennu am dair swydd arall. Tybed oes yna *rywun* yn rhywle sydd eisio gweithiwr da a chydwybodol (disgrifiad Dad!) . . . dyn aeddfed ei brofiad (disgrifiad Dad eto) dyn rhwng ei ddeugain a'i hanner cant, ond sydd â blynyddoedd lawer o waith o'i flaen eto? Yr ateb bob tro ydi . . . nac oes.

Tybed fydd Dad yn chwibanu wedi iddo orffen

136

peintio'r gegin ... ac wedi i'r atebion i'w geisiadau ddisgyn ar fat y lobi?

Dydd Gwener, Mawrth 10fed

'Fyddi di ddim yr un un,' medda Siw. 'Disgwyl di tan fory. Mae cael tyllau yn dy glustiau yn dy wneud yn fwy deniadol ... yn gorfodi pobl i gymryd sylw ohonot ti ... yn dy wneud ti 'with it.'

'With it? Hefo be, yr het!'

'Wmph! Secsi! Golygus! Popeth!'

'Taw â dweud.'

'Wyt ti ddim wedi sylwi? Does run o'r modelau 'na ar y teledu heb glustdlysau. Rhai ohonyn nhw gymaint â pheli golff!'

Mi fedrwn i fy ngweld fy hun yn cerdded i mewn i'r stiwdio deledu. Roedd ffwr smalio tros fy ysgwyddau a chlustdlysau blodeuog anferth yn crogi o'm clustiau. Roedden nhw yn fy nisgwyl ar un o'r sioeau sgwrsio a holi rheiny.

'A rŵan, ga i gyflwyno Miss Gwenno Jones, prif fodel Cymru? Un sydd â'i henw'n adnabyddus tros Gyfandir Ewrop gyfan ... yn wir tros y byd i gyd. MISS GWENNO JONES, GYFEILLION!'

Roedd y gynulleidfa'n codi fel un ac yn curo a churo a churo'u dwylo. Mi eisteddwn innau yn y sedd a gwenu'n ddeniadol ar yr holwr ...

'Gwenno!'

Yn y bws ysgol roeddwn i a Siw yn fy mhwnio am ein bod ni wedi cyrraedd. Dydi'n biti fod breuddwydion yn dŵad i ben?

Dydd Sadwrn, Mawrth 11eg

Mi rois i fy nhroed i lawr hefo Wil Siop Magi.

'Ylwch,' meddwn i wedi iddo roi'i fraich amdana i wrth

imi ymwthio heibio iddo fo tu ôl i'r cownter. 'Dydw i ddim yn dŵad yma os 'dach chi'n byhafio fel'na.'

'Byhafio sut, nghariad i?' medda fo'n wên i gyd.

'Yn rêl loblari,' meddwn i.

'A be 'di hwnnw?' medda fo gan ddal i ledwenu.

'Gair Nain am bobl fel chi,' meddwn i.

'Dy Nain? Be ddeudist ti wrthi?'

Mi ymwrolais wrth weld yr olwg oedd ar ei wyneb.

'Dweud sut un oeddech chi, tê.'

'Dydw i ddim wedi gwneud dim byd ond bod yn ffrindia,' medda fo'n guchiog. 'Ac mi ddyffeia di i ddweud yn wahanol.'

Ond Hwrê! Mae o wedi byhafio fel oen bach trwy'r bore. Efallai ei fod o wedi cyfarfod Nain rywdro!

Mi gyrhaeddodd y pnawn tyngedfennol. Pnawn y tyllau yn fy nghlustiau. Mi ddaeth Siw hefo mi wrth gwrs. Roeddwn i'n teimlo'n wan iawn fy nghalon wrth gerdded i mewn i'r siop.

'Dydi o ddim byd,' cysurodd Siw. 'Yli sut y gwnes i. Yn ddewr i gyd.'

Hy! Dewr ddywedodd hi? A hithau yn gafael fel gelen yn fy llaw nes roedd cylchrediad y gwaed wedi'i atal am oriau!

'Eisteddwch,' medda'r ddynes gan chwilota yn y drôr am y nodwyddau.

'Ydyn nhw'n rai ffres?' mi ofynnais gan gofio am beryglon Aids a Hepatitis B.

'Ffres?' medda'r ddynes yn reit ffroenuchel.

'Ia,' meddwn i. 'Rhai newydd sbon.'

Fedr rhywun ddim bod yn rhy ofalus, dyna ddywedais i wrthyf fy hun.

'Dalltwch chi, rydyn ni'n defnyddio'r method diwedd-ara a nodwyddau'n syth o'r paced,' medda hi'n siort.

Roeddwn i'n difaru imi agor fy ngheg wedyn, yn

enwedig pan welais i'r nodwydd yn nesáu. Beth petasai hi'n rhoi pigiad go giaidd imi yn ei thymer?

Roeddwn i'n falch iawn o gael y gorchwyl trosodd er nad oedd o'n llawn mor boenus ag yr oeddwn i wedi'i ofni. Ac mi ddois i o'r siop gan deimlo'n rêl ledi!

Roedd Derec Wyn a Prysor yn disgwyl wrthyn ni yn Wimpy.

'Del iawn,' medda Derec Wyn wedi imi ddangos fy nghlustiau iddo fo.

Yna edrychodd ar y cylchau cysgu.

'Rhai fel'na maen nhw'n eu rhoi yn nhrwynau moch, tê?'

'Wyt ti eisio clustan?' mi ofynnais yn ddigon chwyrn.

Wedi'r cyfan, roedd gen i dipyn o feddwl o'r tyllau a'r cylchau cysgu, ac mi roeddwn i'n gwybod hefyd na allai Mam a Dad fforddio'u rhoi nhw imi mewn gwirionedd.

'Ew, na,' medda fo.

Mi es i ddangos fy nghlustiau i Nain wedi cyrraedd adre.

'Hmm!' medda hi, 'Taflu dy bres eto, mi wela.'

Wn i ddim a oedd hi yn llawn gredu yr hyn roedd hi yn ei ddweud chwaith. Roedd yna lygedyn bach o ddigrifwch yn ei llygaid. Rydw i'n dechrau closio yn araf bach at Nain!

Dydd Sul, Mawrth 12fed

Dad wedi gorffen peintio'r gegin. Pawb ond Mam a Nain a Llŷr wrthi heddiw yn cludo cant a mil o bethau yn ôl a'u codi yn y cypyrddau ac ar y silffoedd.

Nain wedi aros yn ei gwely tan amser cinio. Yn rhy hen i fod yng nghanol llanastr, medda hi.

'Gwaedda arna i pan fyddwch chi wedi gorffan, Gwenno,' medda hi. 'A chofia am banad imi tua'r deg 'ma.'

'Iawn, Nain,' meddwn innau heb lawer o frwdfrydedd yn fy llais.

'Mi gymra i seibiant yn y lolfa,' medda Mam. 'Rydach chi'n gwybod ble i roi popeth.'

A phan droais rownd i chwilio am Llŷr roedd o wedi diflannu i chwarae hefo Garmon.

Tipical, meddwn i gan felltithio o dan fy ngwynt. Tipical o beth sy'n digwydd yn y tŷ 'ma. Gwenno Jones yn slafio tra mae pawb arall yn osgoi. Roeddwn i'n teimlo'n ddigon piwis. Llond gwlad o waith cartre gen i . . . a heb ddechrau arno. Ac mi fyddai Wati Welsh yn bloeddio uwch fy mhen os na fyddwn i wedi'i orffen.

'Pam na wnaiff Llŷr helpu?' meddwn i yn reit benstiff. 'Does ganddo fo ddim gwaith ysgol. Pam y fi o hyd?'

'Tasa tithau wedi'i wneud o nos Wener yn lle gwylio'r teledu, fuasa gen tithau ddim chwaith,' medda Dad yn ddigon pigog.

Rydw i'n amau'i fod o'n dechrau mynd yn ddrwg ei hwyl eto. Ofni y bydd Nain ac yntau o dan draed ei gilydd trwy'r wythnos nesaf debyg.

Dydd Llun, Mawrth 13eg

Cychwyn am yr ysgol yn reit dda fy hwyl. Wedi cael pum munud neithiwr i wneud fy ngwaith cartref. Does ond gobeithio y bydd Wati Welsh mewn tymer dda pan ddaw i'w ddarllen.

Mae 'na eneth newydd yn yr ysgol. Yn y drydedd flwyddyn mae hi ond ddim yn ein dosbarth ni gan mai estron o dros Glawdd Offa ydi hi. Fuaswn i ddim wedi talu llawer o sylw iddi . . . ond fel y dywedodd Siw, 'Ma hi fel carbyncl ar flaen trwyn rhywun. Fedrwch chi mo'i hanwybyddu.'

Mi gyrhaeddodd mewn andros o gar mawr swanc i ddechrau, a hwnnw'n tynnu i fyny reit o flaen y drws, a'r dreifar mewn gwisg swyddogol ac yn neidio allan i agor y drws iddi fel pe buasai hi'n frenhines.

'Everything all right, Miss Mandy?' medda fo mewn llais cwrtais.

'Thank you, Wright,' medda hi'n ddidaro.

Roedden ni i gyd yn sefyll a'n cegau'n agored.

'I'll pick you up straight after school then, Miss,' medda fo eto cyn llithro i sedd y dreifar a siffrwd ei ffordd am y giât.

Mae ei gwallt yn felyn donnog ac yn llaes at ei hysgwyddau, mae llygaid gleision ganddi a chroen heb sbotyn yn agos ato fo. Ac mae hi'n rêl snob!

Un o'r 'femmes fatales' rheiny ydi hi, medda Siw.

'Be ydi rheiny pan maen nhw gartra?' meddwn i'n syn.

'Merched sydd â'u crafanga mewn dynion pobl eraill,' medda Siw yn swta, 'Os sbïith hi ar Prysor . . . mi ladda i hi.'

Mi deimlais i ryw ofn rhyfedd yn fy nghalon. Os oedd Siw yn poeni am Prysor . . . beth am Derec Wyn? Doeddwn i ddim eisio brifo teimladau Siw, ond mae Derec Wyn ganwaith mwy golygus na Prysor.

Fedrais i roi fawr o sylw i wersi'r bore er fy mod i'n trio fy nghysuro fy hun na fuasai Derec Wyn byth yn sbïo ar fabi dol fel Mandy.

Pan ddaeth amser cinio, roedd hi'n meddiannu'r sylw yn y cantîn, jest wrth eistedd yno a gwneud dim! Y bechgyn i gyd yn ei llygadu . . . a hithau'n eistedd yn ddel ac yn smalio nad oedd ganddi ddiddordeb yn neb.

'Rydw i'n mynd ati hi i siarad,' meddwn i wrth Siw.

'Anwybydda'r trwyn snobyddlyd,' oedd ateb Siw.

'Ond ella mai swil ydi hi. A hen beth annifyr ydi bod ar dy ben dy hun yng nghanol dieithriaid.'

'*Honna'n swil*? Jôc orau Cymru.'

Ac mi afaelodd Siw fel gelen yndda i nes y gwelodd hi Prysor yn dŵad i mewn.

141

'Rydw i wedi cadw lle,' medda hi gan chwifio'i llaw arno. 'Ac i Derec Wyn hefyd.'

'Pishyn ydi hi, tê!' medda Prysor gan lygadu Mandy. 'Ys gwn i Mandy be ydi hi? Oes rhywun yn gwybod?'

'Ella yr aiff Derec Wyn i ofyn,' cynigiodd Gwen yn slei.

'Wel, y feudan,' meddwn i wrthyf fy hun. 'Trio gwneud drwg.'

'Pam nad aiff un ohonoch chi i siarad hefo hi?' gofynnodd Derec Wyn. 'Biti 'i gweld hi ar ei phen ei hun.'

Mi edrychais i yn reit ddrwgdybus arno fo. Pam roedd o'n cynnig y ffasiwn beth? Am ei fod o eisio'i chyfarfod?

'Dydan ni ddim yn licio snobs,' medda Siw. 'Welist ti'r car mawr 'na a'r *dreifar*? Be ma hi'n ei wneud mewn ysgol gyfun fuaswn i'n 'i licio wybod. Mi fuasa ysgol breifat yn siwtio'i siort hi.'

'Chwara teg, Siw,' medda Prysor. 'Rhaid iti adnabod rhywun cyn beirniadu. A mae 'na siortiau iawn yn mynd i ysgolion preifat . . . rhai ohonyn nhw.'

'Hy!' oedd unig atebiad Siw.

Doedd gen i fy hun ddim byd yn erbyn i bobl fynd i ysgolion preifat . . . os mai dyna roedden nhw'i eisio. Rydw i'n credu'n gryf mewn rhyddid . . . rhyddid i bawb ddwedd ei farn . . . a rhyddid iddyn nhw wneud eu penderfyniadau eu hunain hefyd, ond iddyn nhw beidio ag amharu ar rywun arall wrth wneud. Ond dydw i ddim yn licio byd 'ni' a 'nhw'; pobl ydi pawb ac mi ddylai fod ganddyn nhw yr un hawliau.

Mi wnawn i brifweinidog ardderchog, erbyn meddwl. Mi fuaswn yn ymladd tros hawliau dynion, yn rhoi blas fy nhafod iddyn nhw yn y Senedd 'na, yn cnocio pennau gweinidogion y Gymuned Ewropeaidd ac yn rhoi gwell trefn ar broblemau'r byd cyn ichi wincian bron.

Roedd gen i dipyn bach o gywilydd ein bod ni wedi mynd allan o'r cantîn heb ddwedd dim wrthi. Mi wenais i'n gynnil wrth ei phasio, ond chymrodd hi fawr o sylw

. . . ond mi edrychodd ar Derec Wyn ac anelu hanner gwên i'w gyfeiriad.

Roeddwn i'n rhy hwyr yn troi i weld a atebodd o'r wên ai peidio. Ond mi edrychodd Siw yn arwyddocaol arna i a sibrwd,

'Be ddeudis i? Hogan eisio'i gwylio.'

Mi gerddon ni ein pedwar o gwmpas yr iard, a chysgodi wedyn mewn cilan gynnes wrth ymyl y cwt boiler. Mi afaelodd Derec Wyn yn fy llaw a sôn am bnawn Sadwrn . . . a tybed ddeuwn i i'w gartref i wrando ar recordiau a ballu yn lle rhynnu yn cerdded stryd yn y dre. Ac mi estynnodd y gwahoddiad i Siw a Prysor hefyd.

'Waeth ichi ddŵad ddim,' medda fo. 'Fydd Mam a Dad ddim adra. Mi wna i bysgod a sglodion amser te.'

'Be? Y ti?' meddwn i wedi fy syfrdanu.

'Pam lai?' medda fo.

Wel, roedd y syniad yn syrpreis mawr i mi. Wrth gofio am gegin ei fam, roeddwn i'n synnu meddwl amdano fo'n cael mynd yn agos ati i goginio. Ond mi godais fy nghalon wrth feddwl ei bod hi o'r un farn a minnau . . . mai teg ydi rhannu gorchwylion yn y tŷ. Efallai na fydd yn rhaid imi ddysgu llawer ar Derec Wyn wedi inni briodi . . . ddim â'i fam wedi paratoi'r ffordd.

Dydd Mawrth, Mawrth 14eg

Mi gefais i freuddwyd ofnadwy neithiwr. Hunllef. Roedd Mandy wedi dwyn Derec Wyn ac yn diflannu hefo fo tros y gorwel i rywle. A minnau'n rhedeg fel peth gwirion i drio'u dal nhw. Yn rhedeg a rhedeg ond heb fod fymryn nes i'r lan.

Mi ddeffrois i yn chwys domen. Am eiliad fedrwn i ddim meddwl ble roeddwn i, ac mi gyrhaeddais am y swits uwchben y gwely heb gofio mai ar y landin roeddwn i'n cysgu rŵan.

Dratia Nain, meddyliais wrth balfalu'n ddall am y swits landin. Roedd fy ngheg cyn syched â phadell ffrio newydd ei llosgi. Mi faglais fy ffordd am yr ystafell ymolchi a llenwi gwydryn hefo dŵr. Mi'i hyfais o ar fy nhalcen a pharatoi i'w ail-lenwi.

'Wyt ti'n iawn, Gwenno?'

Mam.

'Ydw. Dim ond wedi deffro.'

'Finna hefyd. Dŵr poeth gen i.'

'Yyy?'

'Dŵr poeth. Llosgi yn dy stumog, ysti. Ma merched yn ei gael wrth ddisgwyl babi.'

'Ew, ydyn?'

'Wn i ddim am faint y bydda i'n gweithio eto chwaith. Pwysau'r gwaed braidd yn uchel, medda'r doctor. Eisio imi orffwyso mwy. Ond sut medra i hefo Nain yma. Yn ypsetio pawb.'

'Chwarae teg. Ma hi'n well nag yr oedd hi,' meddwn i. 'Ac mae ganddi boen yn ei hochr.'

'Dwyt ti ddim yn nabod dy nain eto, ngenath i,' medda hi mewn llais llawn gorthrwm.

Mi es i'n ôl i fy ngwely ond fedrwn i gysgu run winc wedyn. Roeddwn i'n meddwl am Mam hefo dŵr poeth a phwysau'r gwaed, am Dad heb waith, am Nain heb groeso iddi ac yn anodd ei thrin . . . ac am Mandy yn y breudd-wyd yn mynnu dwyn Derec Wyn. Mae bywyd yn llawn o boen.

Roeddwn i'n ddigon penisel yn dringo oddi ar y bws yn iard yr ysgol.

'Aros imi gael gair hefo Gwawr,' medda Siw. 'Ma fy llyfr Bioleg i ganddi.'

Mi safais yng nghyntedd yr ysgol a'm meddyliau ymhell.

'Hello,' medda rhywun wrth fy ochr i.

Mi sbonciais. Miss Ledi Mandy ei hun.

144

'O . . . hylo,' meddwn i'n gloff. 'Ydach chi'n licio yn yr ysgol 'ma?'

(Wel, roedd yn rhaid imi ddweud rhywbeth wrthi, a fedrwn i ddim meddwl am ddim byd arall.)

'Sorry . . . I don't speak Welsh,' medda hi.

'Do you like it here?' gofynnais.

Mi gododd ei hysgwyddau.

'I suppose so.'

Doeddwn i fawr o eisio cario'r sgwrs yn ei blaen a finnau'n cofio mreuddwyd.

'Where do you come from?' meddwn i.

'Manchester,' medda hi. 'But I was born in Wales. We moved about two years ago.'

'And why can't you speak Welsh then?'

'I was at Hillside, you see. We weren't taught Welsh.'

Yna dyma hi'n gweld Derec Wyn ym mhen draw'r cyntedd. Pwyntiodd.

'That dark-haired boy. With you yesterday. He's a pet, isn't he. Yours?'

Nefi, am beth oedd hi'n siarad? Am bŵdl ta am Derec Wyn?

'My boyfriend,' meddwn i yn reit gadarn.

'Oh . . . just thought I'd ask. See you.'

Ac i ffwrdd â hi.

Mi gyrhaeddodd Siw.

'Be oedd gan Mei Ledi i'w ddweud?'

'O . . . Siw. Ma hi â'i llygaid ar Derec Wyn.'

'Mi ddeudis i wrthyt ti, on'd do? Be ddeudodd hi?'

'Gofyn pwy oedd o. He's a pet, isn't he, dyna ddeudodd hi.'

'*Siwgr gwyn*! Rhaid iti gael coler iddo fo, a thennyn hefyd.'

Fedrwn i ddim peidio â chwerthin . . . ond roedd fy nghalon fel carreg o drwm. Roedd hi'n iawn ar Siw. Doedd llygaid Mandy ddim ar ei chariad hi.

Mi fwyteais fy nhe a gweithio'n ddyfal ar fy ngwaith cartref, mi olchais y llestri a gosod bwrdd brecwast, i gyd mewn llyn o hunandosturi. Mi dendiais ar Nain, mi olchais fy mlows ysgol ac mi ofalais fod Llŷr yn ei wely ac wedi diffodd y golau fel pe buaswn i mewn breuddwyd diflas. Ochneidiais droeon. Sylwodd neb.

Dydd Mercher, Mawrth 15fed

Dad yn felancolaidd dawel o gwmpas y tŷ, a Mam yn cwyno hefo dŵr poeth ac yn gorffwyso hynny a fedr hi; Nain yn gecrus biwis a Llŷr heb fod yn poeni am ddim.

Roeddwn i'n falch o gael gadael y tŷ a mynd i'r ysgol. Ond mae Mandy yn fan'no, ac mi'i gwelais i hi'n siarad hefo Derec Wyn yn y coridor.

'Ma hi'n hogan neis,' medda Derec Wyn pan soniais i amser cinio. 'Wn i ddim pam na wnewch chi'r gennod siarad hefo hi.'

Rydw i eisio cyngor o rywle cyn i bethau fynd o ddrwg i waeth.

Dydd Iau, Mawrth 16eg

Mi anelodd Mandy amdana i amser cinio.

'You don't mind if I sit at your table?' medda hi yn wên i gyd.

'No . . . o,' meddwn i yn reit anniolchgar.

'Be ma honna'n 'i wneud yma?' hisiodd Siw.

'Gofyn gâi hi ddŵad,' fe hisiais inna'n ôl.

Ond roedd Gwen yn gwenu'n groesawus. Doedd ganddi hi ddim cariad i'w golli.

'I love your hair, Mandy,' medda hi. 'I wish I could grow mine long.'

Mi eisteddodd Mandy fel pe buasai hi yn un ohonom ni rioed. Wn i ddim pam roedd yn rhaid i bawb siarad Saesneg, ac mi ddeudais i hynny'n reit gry hefyd.

'You should learn to speak Welsh, Mandy. We're all Welsh.'

'Oh!' medda hi a thaflu cudyn tonnog tros ei hysgwydd yn ddeniadol. 'I won't really be here long enough. Daddy will be moving on. I expect I'll go to a really good school once we're settled in a nice locality.'

'What does your father do?' gofynnodd Derec Wyn.

'He's a Managing Director of Intel, the company that's taken over a small factory here. We own several much larger units.'

'Which small factory?' gofynnais. Ond roeddwn yn gwybod cyn imi ofyn, wrth gwrs.

'What was it called . . . ? John Davies and Son, I think. Not really up to much, my father said. Inefficient workforce.'

Mi deimlais fy nhymer yn codi.

'My father worked there,' meddwn i'n chwyrn. 'For fifteen years. Your father made him redundant . . . and what do you care?'

Mi sbïodd pawb arna i a'u cegau'n agored. A dyna'r funud gyntaf imi gofio nad oeddwn i wedi dweud wrth neb ond Siw.

'Whiw!' medda Gwen. 'Ma petha'n digwydd yn eich tŷ chi, yn tydyn? Babi a thaflu allan o waith. Sori, Gwenno, wyddwn i ddim.'

Roeddwn i bron â chrio erbyn hyn, yn enwedig pan glywais i'r tinc tosturiol yn llais Gwen. Doeddwn i ddim eisio i neb dosturio wrthyn ni, ond mi roeddwn i'n falch fod Gwen yn ddigon o ffrindiau i gydymdeimlo hefyd. Roedd o'n gwneud imi deimlo'n well rywsut.

'Sorry about that,' medda Mandy yn reit ddidaro. 'It always happens, you know.'

Ond byth i ti, meddyliais yn chwerw, a byth i dy dad chwaith.

Mi wasgodd Derec Wyn fy llaw o dan y bwrdd a gwenu'n neis arna i.

'Mi ddaw pethau'n well, mi gei di weld,' medda fo.

Dydd Gwener, Mawrth 17eg

Dad wedi cael atebion i'w geisiadau am swydd heddiw. Dim byd. Dim gobaith. Mae pethau'n prysur fynd i lawr yr allt yn ein tŷ ni.

Dydd Sadwrn, Mawrth 18fed

Amser brecwast. Mam yn gorffwyso a Dad heb air i'w ddweud. Dydi o ddim wedi siafio na molchi y bore 'ma. Rydw i'n dechrau poeni o ddifri amdano fo.

'Dos â hambwrdd i dy Nain,' medda fo'n ddigon llipa gan danio sigarét.

'Ond . . . Dad, rydw i ar ras eisio mynd i ngwaith,' meddwn i. 'Fedrwch chi ddim mynd â fo bore 'ma?'

'Gwna fel rydw i'n dweud,' medda fo'n siort.

'Wel, mynd i Lundain ac yn ôl,' meddwn i o dan fy ngwynt. 'Gwenno sgifi ddylai fy enw i fod.'

'Diolch, ngenath i,' medda Nain yn reit glên pan redais i fyny'r grisiau â'm gwynt yn fy nwrn.

Syrpreis! Roedd *rhywun* yn fy ngwerthfawrogi.

'A ble ma pawb y bore 'ma?'

'Mam yn ei gwely,' meddwn i. 'Dad ar ei frecwast. Llŷr yn . . .'

'Hrmph!' medda hi. 'Rwyt ti'n gwneud mwy na dy siâr. Estyn fy nannadd gosod, wnei di? Sut ma' dy dad y bora 'ma?'

'Ylwch, Nain,' meddwn i wedi'u hestyn. 'Sgin i ddim amsar i siarad. Dechrau gweithio chwarter i naw.'

Roeddwn i'n gweld fod yn rhaid imi fod yn bur gadarn fy safiad gan ei bod hi'n paratoi i bregethu am ffaeleddau pawb yn ein tŷ ni.

148

'Ia,' medda hi. 'Dos di. Mi wela i y bydd yn rhaid imi sortio tipyn o bethau yn y lle 'ma.'

'Nefi!' meddyliais wrth rasio i lawr y grisiau. 'Dyna'r peth diwethaf rydyn ni'i eisio. Mi fydd 'na rêl hylabalŵ yma.'

Ond doedd gen i ddim amser i rybuddio Dad, ddim ond gweiddi 'Ta ta' a charlamu am Wil Siop Magi. Doeddwn i ddim eisio rhoi esgus i hwnnw ailddechrau ar ei driciau.

Amser cinio, doedd gen i ddim amser i holi a oedd rhyw-beth wedi digwydd tra oeddwn i'n gweithio, am fy mod i eisio molchi a hwylio a dal y bws i gyfarfod Siw a Prysor . . . a mynd i dŷ Derec Wyn wedyn.

'Paid â bod yn hwyr,' rhybuddiodd Dad pan oeddwn i'n rhedeg marathon tua'r drws.

Dydi o byth wedi siafio. Rydw i bron â gobeithio y dywed Nain rywbeth. Chaiff o byth waith ac yntau'n ddidaro hefo fo ei hun. Petaswn i'n cyfarfod tad Mandy, mi fauswn i'n dweud wrtho fo am y llanastr mae o'n ei wneud ar fywyd pobl.

Mi fedra i fy nychmygu fy hun yn ysgubo i mewn i'w swyddfa, yn sefyll wrth ei ddesg ac yn rhoi darn da o'm meddwl iddo'n strêt. Ei bod yn gywilyddus o beth fod pobl fel nhw yn cymryd cwmnïau bach trosodd ac yn taflu pobl allan o waith heb falio dim . . . a sut y buasen nhw'n licio i beth felly ddigwydd iddyn nhw? A ble maen nhw'n 'i feddwl fod pobl canol oed am gael gwaith wedi iddyn *nhw* eu taflu ar y clwt?

Ac mi fauswn i'n rhoi tamaid reit helaeth o fy meddwl i Mandy hefyd. Ac yn dweud wrthi am gadw'i chrafangau o gyfeiriad Derec Wyn, ac mai tros Glawdd Offa mae'i lle hi a'i thad os na fedran nhw barchu pobl eraill. Peth braf ydi fy nychmygu fy hun yn rêl cawres!

Teimlad rhyfedd oedd mynd i dŷ Derec Wyn a gwybod nad oedd ei rieni gartre. Roeddwn i'n rhyw hanner troi rownd o hyd gan feddwl fod ei fam reit tu ôl imi, yn enwedig pan aethon ni i gyd i'r llofft i wrando ar ei recordiau.

'Does run ohonom ni wedi tynnu'n sgidia,' mi sibrydais wrth ddringo'r grisiau. 'Beth ddywedith dy fam?'

'Dim ots,' medda fo. 'Dydi hi ddim yma i weld, yn nac ydi?'

Ond doedd y wybodaeth honno'n gwneud dim i liniaru fy anniddigrwydd, a fedrwn i yn fy myw fy modloni fy hun. Beth petasai ei fam yn dŵad yn ei hôl ac yn ein dal ni? Ond doedd dim byd felly'n poeni Siw, wrth gwrs, a hithau'n gwybod dim am y rheolau.

'Ma gen ti chwaraewr recordia da, Derec Wyn,' medda hi gan ogwyddo'n freuddwydiol i'r miwsig o gwmpas y llofft. 'Ydi o'n un drud?'

'Ydi.'

Wel, roeddwn i'n tybio fod teulu Derec Wyn yn ariannog o'r funud gyntaf y gwelais i'r carped yn y lobi.

Mi eisteddais yn glòs wrth ochr Derec Wyn ar y llawr. Tybed a oedd o'n cofio'r gusan gyntaf honno a gefais i ganddo? Ond efallai nad ydi bechgyn mor rhamantus â genethod.

Tua phedwar o'r gloch . . . jest pan oeddwn i'n dechrau teimlo'n newynog, dyma Derec Wyn yn cyhoeddi ein bod ni am gael bwyd.

'O,' medda fi wrth ei ddilyn i'r lolfa. 'Y pysgod a'r sglodion rwyt ti am eu coginio, debyg? Rydw i'n edrych ymlaen.'

Mi gochodd Derec Wyn dipyn bach cyn cyfaddef,

'Wel, na, rhai o'r dafarn datw Chineaidd. Meddwl y buasen ni'n cerdded yno i'w nôl nhw.'

'Wel, y twyllwr,' meddwn i gan roi hwyth iddo fo. 'Yntê, Siw?'

'Ia,' cytunodd Siw. 'Haeddu cosb, yn tydi?'

A dyma ni'n sbïo ar ein gilydd am eiliad, yna yn ein taflu ein hunain arno fo nes roedd o'n rowlio ar lawr y lolfa.

'Tyn ei sgidia fo,' gwaeddodd Siw. 'Mi ro i gosfa i'w draed.'

Wel, roedden ni yng nghanol yr helynt ac yn cael sbort go iawn; roedd crys Derec Wyn yn crogi allan o'i drowsus a'i siwmper wedi'i rowlio at ei geseiliau pan agorodd y drws ac mi gerddodd ei dad a'i fam i mewn.

'*Derec Wyn*!' medda'i fam mewn llais ofnadwy.

Mi rewodd pawb yn eu hunfan am eiliad, yna mi neidiais ar fy nhraed fel petaswn i wedi cael sioc drydan.

'O . . . A . . .,' meddwn i.

'Derec Wyn,' medda ei fam eto. 'Be 'di'r cadw reiat 'ma?'

'Chwara plant, Buddug,' medda ei dad yn rhadlon. 'Hwyl ddiniwed.'

'Hwyl . . . ddiniwed?' medda hi'n flin, fel petasai hi rioed wedi clywed am y ffasiwn beth.

Ac yna dyma ei llygaid hi'n disgyn ar ein sgidiau ni ac mi ffrwydrodd o ddifri.

'A does run ohonyn nhw wedi tynnu'u sgidia, Llewelyn. Wir, Derec Wyn, rydw i'n disgwyl gwell na hyn gen ti. A chithau, Gwenno.'

'Sori,' meddwn i.

Roeddwn i'n teimlo tua *hynna* o daldra, yn enwedig wrth ei gweld hi'n dechrau mynd o gwmpas y lolfa yn ysgwyd y clustogau ac yn symud y cadeiriau a'r soffa i'w hunion leoedd.

Mi safon ni ein pedwar fel pe buasen ni'n disgwyl dedfryd mewn llys, a doedd run ohonom ni'n gwybod yn iawn ble i'n rhoi ein hunain.

'Hm!' medda hi wedi tacluso popeth i'w phlesio. 'Os ydach chi'n aros, tynnwch eich sgidia a'u rhoi nhw yn y lobi. Debyg fod arnoch chi eisio rhywbeth i'w fwyta?'

Doedd hi ddim yn gwenu, ond roedd hi wedi hanner maddau!

Roeddwn i'n berffaith barod i'w gwadnu hi oddi yno wedi cael y ffasiwn drefn, ond mi winciodd tad Derec Wyn arna i a gwasgu mraich am eiliad.

'Mi fyddwn ni'n falch o'ch gweld i gyd yn aros,' medda fo. 'A phwy ydi'r ddau yma, Derec Wyn?'

Mi aeth pethau yn eu blaen yn weddol esmwyth wedyn. Ac er fy mod i'n teimlo'n annifyr iawn, mi es i'r gegin a chynnig helpu ei fam. Mi dderbyniodd y cynnig yn ddigon clên heb gyfeirio dim at y cadw reiat yn y lolfa.

'Nefoedd, be oedd ar dy fam?' medda Siw pan oedden ni i gyd yn cerdded am y bws.

Mi gochodd Derec Wyn braidd cyn ateb.

'Ma hi'n un ofnadwy am llnau,' medda fo'n gyndyn. 'Dydi wiw i ddim fod allan o'i le yn ein tŷ ni, a fedr hi ddim diodda baw. Dyna pam ma eisio tynnu sgidia.'

'O!' medda Siw a'i llais yn llawn rhyfeddod.

Ond roeddwn i wedi clywed am ferched fel'na. Merched a oedd yn meddwl am ddim ond glanhau a glanhau trwy'r dydd. Ffobia ganddyn nhw. Ac mi benderfynais yn y fan a'r lle. Pan briodwn i â Derec Wyn, mi gâi gartref reit lân a chysurus (doeddwn i ddim yn gwarafun llnau rŵan ac yn y man) ond doeddwn i ddim am fy lladd fy hun yn rhedeg ar ôl pob smotyn i neb.

Roedd pawb yn weddol gytûn pan gyrhaeddais adre . . . y teledu ymlaen a phawb yngholl yn eu meddyliau eu hunain.

'Rydw i gartra,' galwais o'r lobi.

Mi garlamodd Llŷr i lawr o'r llofft.

'Be sy 'na i swper?' gofynnodd.

'Pam gofyn i mi?' meddwn i.

'Rho'r tecell ymlaen, wnei di?' galwodd Mam o'r lolfa.

Siwgr gwyn! Prin y cefais i roi troed i mewn trwy'r drws nad oedd rhywun yn gorchymyn. A chlywais i mo Nain yn dweud ei barn fel yr addawodd y bore 'ma chwaith. Wn i ddim a oeddwn i'n falch o hynny ai peidio.

Dydd Sul, Mawrth 19eg

Mae Nain yma ers mis, a does 'na run o'r pethau a rybudd-
iodd y doctor amdanyn nhw wedi digwydd. Pobl wedi
cracio'u 'sennau yn cael broncitis a niwmonia, dyna
ddywedodd o gan ysgwyd ei ben yn ddifrifol yr adeg
honno. Dydyn nhw ddim yn anadlu'n iawn am fod eu
hochrau'n brifo ac maen nhw'n gorfod cael tabledi at y
boen ac antibiotics. Mae Nain wedi grwgnach yn ddi-ben-
draw, ond fedra i ddim gweld ei bod hi wedi diodda run
afiechyd arall. Mae'n rhaid fod cyfansoddiad fel haearn
Sbaen ganddi.

A does bosib nad ydi hi'n well erbyn hyn. Dydi hi ddim
yn cwyno hanner cymaint . . . dim ond pan mae hi'n
ddrwg ei hwyl ac eisio talu'n ôl i Dad a Mam. Rydw i'n
dechrau dŵad i ddeall Nain i'r dim!

Ond ys gwn i pa bryd yr aiff hi adre? Nid fy mod eisio'i
hel hi oddi yma chwaith. Dydw i ddim yn licio meddwl
amdani ar ei phen ei hun a neb yn gwmpeini ganddi. Ond
rydw i wedi cael llond bol ar gysgu ar y landin, llond bol
ar weld rhywun arall yn fy ngwely, a llond bol o beidio â
gwrando ar fy recordiau am nad oes 'na blwg ar y landin,
ac am nad ydi Nain yn licio miwsig uchel, hynny ydi os
mai miwsig pop ydi o.

Mae Modlan wedi meddiannu'r mat o flaen ein tân ni
unwaith eto . . . ac er bod Mam yn dwrdio ac yn ei gaddo
hi'n danllyd iddi, dydi hi'n gwneud fawr ddim i'w chadw
allan. Efallai nad ydi hi eisio tynnu Nain yn ei phen . . .
ddim mwy nag sydd yn rhaid!

Dydd Llun, Mawrth 20fed

Mandy yn anelu amdana i yn y cantîn heddiw eto. Mae
hi'n dechrau fy ngwneud i deimlo'n reit annifyr.

Dydd Mawrth, Mawrth 21ain

Derec Wyn a Mandy yn sefyll wrth ymyl ei gilydd yn y ciw cinio heddiw. Roeddwn i'n eiddigus yfflon tu mewn.

Dydd Mercher, Mawrth 22ain

Rydw i'n dymer wenfflam. Mandy'n gludio fel cysgod wrth fy ochr trwy amser cinio. Chefais i ddim cyfle i gael gair preifat hefo Derec Wyn.

Dydd Iau, Mawrth 23ain

'Deuda wrthi am fynd i fan'no,' medda Siw pan gwynais i yn y bws ben bore.

'Sut medra i? Unig ydi hi. Does na neb arall lawer o ffrindia hefo hi.'

'Dydi hi ddim yn *dewis* bod yn ffrindia hefo neb arall, yr het! Ffansïo Derec Wyn ma hi.'

Roedd yn rhaid imi gyd-weld â Siw.

'Rhoi rhybudd iddi fuaswn i,' medda Siw.

Mi fu'r peth yn fy mhoeni trwy'r bore. Ond a dweud y gwir, roedd yna rywbeth arall yn fy mhoeni'n llawer mwy. Y teimlad fod Derec Wyn yn hanner ffansïo Mandy oedd hwnnw. Roedden nhw'n siarad digon hefo'i gilydd, ac am bethau na wyddwn i lawer amdanyn nhw hefyd.

'Which computer have you got then?' gofynnodd Mandy.

Ac yn fuan iawn roedden nhw'n sgwrsio'n dechnegol am wahanol gyfrifaduron, am raglenni a Kilobytes a disgiau a 'Mouse,' am 'Software' a 'Hardware' a chant a mil o bethau eraill y gwyddwn i am eu bodolaeth, ond pethau nad oedd gen i fawr o ddiddordeb ynddyn nhw.

Gwenno bach, meddwn i wrthyf fy hun. Does gen ti ddim siawns. Waeth iti roi'r ffidil yn y to ddim. Mi es i adre yn ddigon penisel.

Roedd Nain ar ei phen ei hun yn y tŷ.

154

'Ble ma Dad?' meddwn i.

'Wedi mynd i'r ysbyty hefo dy fam,' medda Nain.

Yna dyma hi'n fy llygadu'n graff.

'Golwg od arnat ti. Wyt ti'n clafychu am rywbeth?' holodd.

'Nac ydw,' meddwn i yn ddigon trist.

'Be sy, ta?' medda hi.

Beth oedd diben celu? Ac o leiaf, roedd Nain hefo digon o ddiddordeb i *sylwi*, on'd oedd? Dim run fath â rhai pobl y medrwn i 'u henwi yn y tŷ 'ma.

'Hogan newydd yn yr ysgol wedi ffansïo Derec Wyn,' meddwn i.

'Ydi o wedi'i ffansïo hi?'

'Wn i ddim,' meddwn i'n drist eto.

'Wel, ma'n amsar iti holi, yn tydi?' medda Nain. 'Dydi o fawr iws poeni i ddim.'

'Dach chi'n meddwl?'

'Chei di ddim heb ymladd amdano fo yn y byd 'ma,' medda Nain yn bendant. 'Cariad na dim arall, wel'di.'

Roedd hi swnio fel petasai hi'n siarad o brofiad.

'Ddaru chi ymladd am Taid?' mi ofynnais yn sydyn.

Mi ymledodd gwên gyndyn tros ei hwyneb.

'Do,' medda hi'n foel.

'Ew! Sut?' meddwn i.

Roeddwn i ar dân eisio gwybod. Mae'n beth rhyfedd, ond fedra i ddim peidio â meddwl am Nain fel nain erioed. Yn rhywun hefo gwallt brith a blewiach yn tyfu allan o'r ddafad fach ar ei boch, a dannedd gosod siarc yn y gwydryn bach wrth ochr y gwely.

Ond ysgwyd ei phen ddaru Nain.

'Mi awn ni i ddechrau paratoi cinio erbyn heno, Gwenno,' medda hi gan ei chodi ei hun yn drwsgl o'r gadair.

'Eisteddwch chi, Nain,' meddwn i. 'Mi wna i.'

155

'Doeddwn i ddim yn meddwl gwneud dim byd,' medda hi. 'Dim ond dŵad yna i wylio. Rydw i'n rhy wantan i afael mewn cyllell.'

A dyma hi'n arwain y ffordd yn grynedig araf am y gegin.

Fedrwn i ddim peidio â gwenu. Roedd Nain mor wantan â theigr yn hela. Ond rydw i'n dal i glosio ati, er ei bod hi'n stumiau i gyd.

'Sut ma ymladd am eich cariad, Nain?' Mi ofynnais yn obeithiol eto.

Sbïo tipyn bach yn gam arna i ddaru hi.

'Dwyt ti mo'r hogan feddyliais i, os na fedri di ddarganfod hynny dy hun,' medda hi.

Ys gwn i be mae hi'n ei feddwl?

Dydd Gwener, Mawrth 24ain

Mi benderfynais gymryd cyngor Nain. Holi gyntaf, ac ymladd wedyn os bydd rhaid.

Y peth cyntaf a wnes i oedd cadw cyn belled ag y medrwn i oddi wrth Mandy amser cinio ... a cheisio gofalu nad oedd Derec Wyn o fewn ei chyrraedd hefyd.

'Eista di yn fan'na, ac mi ofala i mai dau le fydd 'na ar y bwrdd,' medda Siw yn feistrolgar.

'Ble ma Mandy?' medda Derec Wyn pan alwais i fod lle iddo wrth fy ochr.

'Ydi ots?' meddwn i'n ddiniwed.

'Na ... a,' medda fo'n ystyriol. 'Eisio dweud wrthi am y rhaglen rydw i'n bwriadu ei phrynu dydd Sadwrn.'

'Rhaglen be? Theatr?' gofynnais yn wamal.

'Paid â bod yn ddwl,' medda fo. 'Cyfrifiadur.'

'Jôc oedd hi, siŵr,' meddwn i.

'O ia.'

Mi edrychais arno fo'n synfyfyriol am eiliad. Oedd o ddim yn ei gweld hi?

'Rhaglen theatr. Rhaglen cyfrifiadur. Jôc,' meddwn i'n obeithiol eto.

'O . . . ia,' medda fo'n reit ddidaro.

Yna dyma fo'n gweld Mandy ar un o'r byrddau eraill.

'Eiliad fydda i,' medda fo.

Mi afaelodd yn ei blât a'r funud nesaf roedd o yn ymuno â Mandy ar y bwrdd arall.

'*Wel* . . .!' meddwn i.

'Mae o'n ffrindia iawn hefo Mandy,' medda Gwen yn slei. 'Yn *ormod* o ffrindia, falla?'

Mi frathais fy nhafod rhag ofn imi ddweud wrthi am fynd i fan'no. Mi fuasai wrth ei bodd wrth weld fy nheimladau i'n rhacs. Nid nad oedden nhw'n rhacs grybîbs! Roedd o wedi fy ngadael i a mynd at Mandy.

'Jest *disgwylia* iddo fo ddŵad yn 'i ôl,' sgyrnygais wrth Siw. 'Jest *disgwylia*!'

Mi gefais fy nymuniad, achos cyn imi orffen siarad bron, roedd o'n aileistedd wrth fy ochr.

'Sori,' medda fo. 'Jest eisio dweud wrthi. Ma hithau am brynu'r un rhaglen. Wrth gwrs, ma ganddi hi gyfrifiadur mwy na fy un i. Drutach.'

'Wrth gwrs,' meddwn i'n sych.

Chawson ni ddim cyrraedd yr iard bron nad oedd Mandy wrth ein cwt.

'Hiya, Gwenno,' medda hi yn wên i gyd. 'Sorry I couldn't find a seat on the same table.'

Roeddwn yn dalp digllon, ond fedrwn i ddim ei gael o allan heibio i'r lwmp oedd yn fy ngwddf . . . a heibio i'r môr o ddagrau a oedd yn llechu tu ôl i'm llygaid chwaith.

'Pam na fuaset ti'n dweud wrtho fo?' holodd Siw ar y bws adre. 'Does dim angen iti wneud mat ohonot dy hun o dan 'i draed o.'

'Mi ddeuda i wrtho fo fory,' meddwn i'n wantan. 'Gyfarfod o am ddau.'

157

'Llabyddia fo,' cynghorodd Siw yn frwdfrydig. 'Deuda wrtho fo nad wyt ti ddim yn gadach llawr i neb, nac yn bric pwdin chwaith. Deuda wrtho fo dy fod ti gystal â Mandy Webb unrhyw ddydd er bod 'i thad hi'n graig o arian. Deuda wrtho fo mai nid y fo ydi'r unig gragen ar y traeth. Deuda wrtho fo . . .'

Mi lithrodd llais Siw i rywle mhell bell fel y dychmygais fy hun yn dweud yr union bethau wrth Derec Wyn. Mi fuaswn i'n ei gyfarfod yn y dre, wedi fy ngwisgo fy hun yn fy sgert ddu a siwmper oren 'off the shoulder', sgidiau du sodlau uchel am fy nhraed, a minlliw oren i gyfateb i'r siwmper yn sgleinio'n ddeniadol ar fy ngwefusau. Mi fuaswn i'n dweud wrtho fo nad oeddwn i ddim am wastraffu fy amser gyda rhywun anffyddlon, ac mi fuasai 'na ddyn dieithr soffistigedig yn aros o fy mlaen i'n sydyn ac yn dweud,

'Excuse me. You're magnificent when you're angry. The perfect girl for my new blockbuster series on television. The star.'

Ac mi fuaswn i'n ysgubo oddi yno â'm llaw yn pwyso'n ysgafn ar fraich y dyn gan adael Derec Wyn fel pysgodyn ar dir sych.

Ia, ond fuaswn i byth yn mynd i ffwrdd hefo dyn dieithr . . . ddim hefo'r holl storïau am beryglon ar y teledu. Dyna daro'r breuddwyd yna ar ei ben!

Dydd Sadwrn, Mawrth 25ain

Dad heb godi pan gychwynnais am fy ngwaith heddiw. Mi fydd yn rhaid iddo dorchi'i lewys neu yn ddi-waith y bydd o.

Mi soniais i wrth Mam amser brecwast.

'Dach chi'n meddwl y caiff Dad joban yn rhywle'n fuan?' meddwn i.

Ochneidio ddaru hi a rhwbio'i llaw tros ei thalcen yn flinedig.

'Wn i ddim wir, Gwenno bach,' medda hi. 'Wn i ddim wir.'

'Ydan ni'n brin o bres?' meddwn i wedyn. 'Nain ddim yn talu'i ffordd a phopeth?'

'Ia . . . dy nain. Un baich ymysg llawer,' medda Mam yn gynnil.

'Wel . . . mi fuaswn i wedi anghofio'r tyllau yn fy nghlustiau,' meddwn i. 'Jest nes y buasai pethau'n well yma, tê? Ugain punt yn lot.'

'Ma dy Dad wedi cael arian diswyddo, ysti. Lwmp swm. Ond wedi'i wario, fydd 'na ddim ond tâl diweithdra wedyn. A mae hwnnw'n ddigon 'chydig.'

Wel, mi es i fy ngwaith gan ddiolch fy mod i wedi cael fy nghlustdlysau yn y pwdin teim, fel petai. Achos os oedd Mam yn dweud y gwir, fyddai 'na fawr o foethau yn ein tŷ ni o hyn ymlaen.

Ond mi gefais i weledigaeth wedi cyrraedd y siop. Roeddwn i yn yr union le i helpu, on'd oeddwn? Mae rhes o swyddi yn cael eu hysbysebu yn y papurau newydd. A doedd dim angen prynu run chwaith! Roedden nhw yno'n rhad ac am ddim i mi sbïo arnyn nhw.

'Dim dŵad yma i ddarllen y papur rwyt ti,' grwgnachodd Wil Siop Magi wrth imi droi'r tudalennau ac anwybyddu cwsmer a oedd angen sigarennau wrth y cownter.

'Sori,' meddwn i. Yna wedi iddo adael y siop, 'Dydi hwnna rioed wedi clywed am Guriad Calon Cymru. Peidio â smygu er mwyn eich iechyd.'

'Be wyt ti'n drio ei wneud? Lladd fy musnes i? Os ydyn nhw eisio smygu, pob rhyddid iddyn nhw,' medda fo'n ddigon blin ei dymer.

Dydi Wil Siop Magi byth run fath ers pan soniais i wrtho am Nain!

Mi gyfarfûm â Derec Wyn yn y dre wedyn. Wrth y cloc yn y stryd fawr.

'Be wnawn ni?' meddwn i.

'Rydw i eisio prynu'r rhaglen 'na,' medda fo.

Felly, i lawr y stryd â ni am y siop gyfrifiaduron. Doedd fy nghalon i ddim yn y fenter rywsut, ond roedd yn rhaid imi ddangos diddordeb am mai Derec Wyn oedd o.

'Dyma hi,' medda fo.

A dyma fo'n pwyso'i drwyn bron ar wydr y ffenestr ac yn dechrau 'u henwi nhw a thraethu am Atari a Commodore ac Amstrad nes roedd fy nannedd yn crinsian o ddiffyg diddordeb.

'Pa raglen wyt ti 'i heisio?' mi ofynnais er mwyn symud ei sylw at du mewn y siop gan obeithio y caen ni fynd i rywle mwy diddorol wedyn.

'Rhaglen . . . ,' cychwynnodd.

'Hiya, you two,' medda llais o'r tu ôl inni.

'Hiya!' medda Derec Wyn gan droi a'i wyneb yn wên i gyd.

Blydi Mandy Webb! meddwn i wrthyf fy hun â'm calon rywle tua gwaelod fy nghoesau. Be ddaeth â hi yma?

'O . . . hylo, Mandy,' meddwn i'n hynod o lugoer.

'Are you going in?' medda hi gan droi at Derec Wyn a'i hwyneb yn ddiddordeb byw. 'I'm buying mine today, you know.'

You know felltith, meddwn i wrthyf fy hun eto. Oedd Derec Wyn yn ei disgwyl?

Chefais i rioed bnawn Sadwrn mor syrffedus, na mor dymherus chwaith. Mi es i hefo nhw i mewn i'r siop gan obeithio a gobeithio y buasai hi'n ffarwelio â ni wedi iddi brynu'r rhaglen. Dim gobaith!

'Let's have a coffee,' medda Derec Wyn wrth inni adael y siop.

Mi agorais fy ngheg i ddweud 'Iaw . . .' gan dybio mai y fo a fi'n unig roedd o'n ei feddwl, ond chefais i ddim amser i orffen y gair nad oedd Mandy wedi neidio i gytuno.

'Great,' medda hi gan roi ei braich yn fy un i'n gyfeill-gar. 'You don't mind, do you, Gwenno?' ·

'N . . . no,' meddwn i.

Roedd fy nghalon i'n sâl o'm mewn. Fedrwn i yn fy myw goelio yr hyn a oedd yn digwydd. Pnawn Sadwrn a minnau'n eistedd yn gwrando ar Derec Wyn a Mandy yn brygowtha am gyfrifaduron. Roedd 'na eiriau hallt ar flaen fy nhafod i ganwaith, ond rywsut fedrwn i yn fy myw eu hyngan nhw. Dim eisio achosi ffrae a thwrw o flaen pawb yn Wimpy . . . a dim eisio colli Derec Wyn.

Mi ddaeth Siw a Prysor i mewn.

'Hei, fa'ma rydach chi . . .,' cychwynnodd Siw.

Yna dyma ei cheg hi'n agor yn O fawr gron.

'Y . . . y . . . Mandy?' medda hi'n syn.

'Hello, Siw,' medda honno'n llon.

Mi sbïodd Siw yn arwyddocaol arna i ganwaith fel yr yfon ein coffi, ond doedd gen i ddim calon i ymateb.

Mi afaelod Derec Wyn yn fy llaw wedi inni fynd allan i'r stryd, ac mi deimlais i dipyn yn well.

'I'll go now,' medda Mandy. 'I suppose you're all going somewhere.

'Yes, we are,' medda Siw yn bendant. 'We four meet every Saturday.'

'Right . . . then,' medda hi â golwg hunandosturiol ar ei hwyneb.

'Why not come with us?' medda Derec Wyn. 'We don't mind, do we, Gwenno?'

Mi bwdais yn gorn yn y fan a'r lle. Pwy oedd Derec Wyn yn 'i feddwl oedd o? Ein pnawn Sadwrn sbesial ni oedd hi. Yr unig amser y bydden ni gyda'n gilydd am oriau. A chyn imi gael cyfle i fy rheoli fy hun, mi ffrwyd-rodd fy nhymer yn wenfflam.

'Actually,' meddwn i yn fy acen Saesneg orau gan ollwng llaw Derec Wyn fel petasai hi'n grasboeth. 'I'm catching an earlier bus home today. Things to do. So, you stay, Mandy. Derec Wyn will be glad of your company.'

Roeddwn i'n falch ohonof fy hun wrth wrando ar fy ngeiriau er fy mod i'n crio tu mewn. Dyma fi'n troi ar fy sawdl ac yn gadael y tri yno'n geg agored.

'Gwenno . . .,' medda Derec Wyn a brysio ar fy ôl i. 'I be rwyt ti'n mynd? Ddeudist ti ddim byd am fynd adra'n fuan.'

'Be di'r ots gen ti?' meddwn i'n benboeth. 'Ma Mandy gen ti. Mi gewch siarad cyfrifaduron nes bydd y geiriau'n eich tagu chi.'

A dyma fi'n sgubo i lawr y stryd ac am y bws. Y funud nesa roedd Siw wrth fy nghwt.

'Mi ddeudist yn iawn. Y bitsh yn ei stwffio ei hun. Mi ddo i adra hefo ti.'

'Na. Aros di. Dydw i ddim eisio neb. Paid â gadael Prysor.'

'Wyt ti'n siŵr?'

Mi welwn i fod Siw ar gyfyng-gyngor. Doeddwn innau ddim yn siŵr iawn beth oeddwn i'i eisio iddi'i wneud. Prun ai dŵad hefo mi, ta aros hefo Prysor. Roeddwn i eisio'i chwmpeini . . . ac eto eisio bod ar fy mhen fy hun i lyfu mriwiau hefyd.

'Os wyt ti'n siŵr . . .'

Mi gyrhaeddodd y bws.

'Aros ydi'r gora iti,' meddwn i a dringo arno heb edrych yn ôl.

Mi eisteddais yn y ffrynt a chadw'n llygaid ar fy nglin yn benderfynol er fy mod i'n gwybod fod Siw yn hofran tu arall i'r ffenestr ac yn trio cael fy sylw.

Roedd pobman yn dawel yn ein tŷ ni pan gyrhaeddais adre. Nain yn pendwmpian wrth y tân a Modlan ar ei glin, Mam a Dad wedi mynd i siopio, a Llŷr yn chwarae yn yr ardd gefn.

'Gartra'n fuan iawn,' medda Nain heb lawer o ddi-
ddordeb. 'Wyt ti am wneud panad?'

Tiwn gron paned, meddyliais wrthyf fy hun yn sur.
Mae hi'n ddigon tebol i wneud ei phaned ei hun.

'Ddim rŵan, Nain,' meddwn i'n benderfynol ac i
ffwrdd â mi i fy llofft fy hun ac eistedd ar y gwely.

Roeddwn i'n fôr o ddagrau tu mewn, ond doeddwn i
ddim am grio. Roeddwn i'n rhy dymherus i hynny. Wfft
i Derec Wyn a Mandy Webb felltith. Wfft i Nain Tawelfa
am mai fy llofft i oedd hon a hithau wedi'i meddiannu,
wfft i Mam am ddisgwyl babi, wfft i Dad am golli'i waith
. . . wfft i Llŷr am nad oedd o'n poeni dim am neb . . . ac
wfft i Gwenno Jones am fy mod i'n lwmp o ddigalondid a
heb wybod beth i'w wneud rŵan wedi imi golli Derec
Wyn.

Mi ddringais i lawr y grisiau.

'Panad rŵan, Nain,' meddwn i.

'Mi fuost ddigon hir,' medda hi'n sur.

Bywyd!

Dydd Sul, Mawrth 26ain

Roeddwn i'n ddigon llegach yn codi a minnau wedi cael
noson o droi a throsi ac ail-ddweud fy meddwl ganwaith
wrth Derec Wyn. Ond roedd hi'n Sul y Mamau ac mi
roeddwn i wedi prynu cerdyn a bocs siocled gan Wil Siop
Magi. (Chefais i ddim disgownt chwaith, a minnau'n un
o'i weithwyr. Cybydd.)

'Diolch, Gwenno,' medda Mam yn reit wendeg pan es
i â'r hambwrdd i mewn iddi. 'Braf cael tendars run fath â
Nain.'

Ia, a phwy sy'n gwisgo'i thraed at yr asgwrn, meddwn
i wrthyf fy hun. Gwenno Jones, fel mae hi mwya ffŵl.
Ond efallai mai gweini ar bobl fydda i am weddill fy oes.
A finnau wedi ffraeo hefo Derec Wyn.

Mi ffoniodd yn hwyrach yn y bore.

'Gwenno . . . ,' medda fo. 'Derec Wyn sy 'ma.'

'Wyt ti eisio rhywbeth arbennig,' gofynnais yn bigog. 'Rydw i'n brysur.'

'Does 'na ddim rheswm iti ddigio,' medda fo. 'Doedd dim angen iti wneud sioe oho . . . '

Sioe? Y fi! Ac yntau wedi bod geg yn geg â Mandy Webb trwy'r pnawn, a neb yn dweud gair bron wrtha i?

'Mae mwy nag un ffordd o wneud sioe ohonot dy hun,' meddwn i a gollwng y derbynnydd i'w le gyda chlec foddhaol.

Dyna ddweud wrtho fo, meddyliais yn benboeth. Chaiff o mo fy nhrin i fel y mynnith o.

Ond anialwch o ddydd Sul fuo hi er i Siw ffonio'n fuan wedyn.

'Mi ddeudist yn iawn,' medda hi. 'Mi ddangosaist iddo fo. Mi roedd ei wyneb o'n bictiwr . . . ac un Mandy Webb hefyd.'

Ond doedd y wybodaeth yn codi dim ar fy nghalon i.

Dydd Llun, Mawrth 27ain

Dydd Llun duach na'r frân. Derec Wyn yn cadw draw, Siw yn cydymdeimlo, Gwen yn holi, Mandy yn trio ffalsio.

Dydd Mawrth, Mawrth 28ain

Diwrnod run fath. Digalon drybeilig.

Dydd Mercher, Mawrth 29ain

Rydw i am aildrefnu mywyd. Am afael ynddi o ddifri hefo fy ngwaith ysgol ac am roi fy nhraed ar lwybr bywyd newydd. Bywyd heb Derec Wyn.

Efallai mai un o'r merched gyrfaoedd llwyddiannus 'ma fydda i. Mi fedraf fy ngweld fy hun yn berchen cwmni, yn rasio yma ac acw mewn car sborts soffistigedig, yn gwisgo dillad moethus ac yn cael gwyliau tramor bob yn ail fis.

Mi fuaswn i'n digwydd taro ar Derec Wyn yn un o'r gwestyau drudfawr 'na, y fo wedi dŵad yno am gyfweliad efallai, a minnau yn cerdded i mewn yn dalog a phawb yn agor y drysau o fy mlaen i, ac yn moesymgrymu wrth fy hebrwng at y lifft a holi a oeddwn i eisio rhywbeth . . . rhywbeth yn y byd i wneud fy arhosiad yno yn fwy cyffyrddus. A fuaswn i ddim yn *sbïo* arno fo!

Ac mi fuasai'i ên o'n disgyn at ei sodlau wrth fy ngweld i. Gwenno Jones fe ryfeddai. Gwenno Jones wnes i ei thaflu heibio am Mandy Webb o bawb. A phan gyrhaeddwn i'r llofft, mi fuasai'r forwyn fach yno yn rhoi tyweli glân yn yr ystafell molchi breifat . . . a *Mandy Webb* fuasai hi!

'And when you've finished dreaming, Gwenno Jones,' medda Robin Goch yn wawdlyd yn y wers Saesneg, 'maybe you'll favour us with your attention.'

Breuddwydion.

Dydd Iau, Mawrth 30ain

Mae hi wedi bod yn andros o ffrae yn ein tŷ ni. Mam a Nain. Mae Nain yn mynd adre dydd Sul. Ddim am aros yn rhywle lle nad oes croeso iddi, medda hi.

'Ond be ddigwyddodd?' meddwn i wrth Dad. 'Ydi Nain yn ddigon da i fynd adra? Beth petasa hi'n mynd yn sâl eto?'

'Wel, fedr hi ddim dŵad yma,' medda Dad. 'Dydi dy fam ddim hannar da. Ac mae eisio digon o seibiant a thawelwch iddi yn y cyflwr ma hi.'

'Am ei bod hi'n disgwyl?' meddwn i.

'Ia.'

'Ond ma hi'n gweithio.'

Ochneidio ddaru fo.

'Ma'r doctor eisio iddi roi'r gorau iddi. Pwysau'r gwaed yn cynyddu a'i choesau'n chwyddo.'

Mi ddeudais i mai strach di-ben-draw ydi disgwyl babi, on'd do? Ond mae gen i biti tros Nain.

'Dydw i ddim yn un i fanteisio ar neb,' medda Nain yn ddiweddarach. 'Hyd yn oed ar fy mab fy hun, lle medrwn i ddisgwyl triniaeth well.'

'Mi ddo i i edrych amdanoch chi, Nain,' meddwn i. 'Pob wythnos.'

Pletio'i gwefus ddaru hi a dechrau mwytho Modlan.

'A ble ma'r fodrwy 'na rois i iti? Fydda i byth yn ei gweld hi.'

'Cadw hi yn y drôr rhag ofn imi'i cholli.'

'Modrwy dy daid,' medda hi. 'Ond, dyna fo, ella y bydd gen ti fodrwya eraill . . . rhai gwell, decyn i.'

'Ond mi'i cadwa i hi am byth, Nain.'

Nodio'i phen heb ddweud gair ddaru Nain.

'Gwenno,' galwodd Mam o'r gegin. 'Tyrd i helpu.'

Mi fwmiodd Nain rywbeth o dan ei gwynt, ond ddaru mi ddim deall beth oedd o. Dew, mae hi'n anodd plesio pawb yn ein tŷ ni.

Dydd Gwener, Mawrth 31ain

Rydw i wedi diflasu ar weld Mandy a Derec Wyn hefo'i gilydd o hyd. Mae pawb yn y dosbarth wedi sylwi. Rydw i wedi gwrthod siarad hefo'r ddau.

Dydd Sadwrn, Ebrill 1af

Diwrnod ffŵl Ebrill. Wrth gwrs fe gofiodd Llŷr!

'Sori, Gwenno,' medda fo wrth ddŵad o'r ystafell molchi. 'Rydw i wedi troi dy bowdwr talc. Ma fo hyd y llawr i gyd.'

Mi neidiais o'r gwely gwersyllu a rhuthro i weld gan gynnig hergwd giaidd iddo fo wrth basio.

'Y cranci blêr,' gwaeddais yn wyllt.

'Ffŵl Ebrill,' gwaeddodd Llŷr yn ôl.

166

'Yli di'r cena bach,' meddwn i'n sarrug. 'Mi dy labyddia i di os ca i afael arnat ti.'

'Gwenno'n ffŵl Ebrill, Gwenno'n ffŵl Ebrill,' gwaeddodd Llŷr gan ddawnsio mhell o'm gafael.

Mi gododd Dad yn fwg ac yn dân.

'Bendith tad ichi, byddwch ddistaw i rywun gael pum munud o ddistawrwydd,' medda fo'n flin.

'Llŷr sy'n chwara triciau,' meddwn i'n bwdlyd.

Ond roedd Dad wedi diflannu'n ôl i'r llofft heb wrando mhellach.

'Ga i frecwast, Gwenno?' holodd Llŷr.

'Gwna fo dy hun,' atebais yn siort a chau drws yr ystafell molchi'n glep yn ei wyneb.

Sôn am ddigywilydd-dra! Chwarae tric fel'na arna i . . . a wedyn yn disgwyl imi baratoi *brecwast* iddo fo. Mi gâi lwgu'n gorn cyn y buaswn i'n symud llaw.

'Plis, Gwenno, rydw i eisio bwyd,' medda fo'n gwynfanllyd.

Ond dydw i ddim yn un i newid fy meddwl heb reswm da, a'i anwybyddu ddaru mi. Prun bynnag, mae gen i golli Derec Wyn i feddwl amdano . . . a Wil Siop Magi i'w osgoi trwy'r bore. Does 'na ddim llygedyn o heulwen yn fy mywyd i!

Dydd Sul, Ebrill 2ail.

Rhyfedd! Roedd Nain yn reit sbriws ar ei thraed pan ddaeth yn amser iddi fynd adre heddiw.

'Deuda wrth Llŷr am ddŵad a fy magiau i lawr o'r llofft, Myrddin,' medda hi fel roedd Dad yn ei helpu i roi'i chôt.

'Dos i'w nôl nhw, Gwenno,' gorchmynnodd Dad.

Mi roedd fy nhroed i ar stepan waelod y grisiau pan glywais i'u lleisiau nhw o'r lolfa.

'A be sy o'i le ar i Llŷr fynd?' holodd Nain yn filwriaethus. 'Ma Gwenno'n rhedag digon.'

Mi arhosais i wrando.

'Rydw i wedi cau fy ngheg ac wedi sylwi digon,' medda hi. 'Dydi'r hogan 'ma ddim yn cael chware teg. Rhedag i bawb.'

'Ma hi'n ddigon hen i helpu, Mam,' medda Dad. 'Ac hefo Menai fel y ma hi . . .'

'A be sy gen ti i'w wneud?' holodd Nain. 'Heblaw eista ar dy ben ôl a dy bitïo dy hun? Feddyliais i rioed y buasai mab dy dad yn troi allan run fath.'

Mi fedrwn deimlo Dad yn dal arno'i hun.

'Sgin i mo'r help fy mod i'n ddi-waith. Rydw i wedi chwilio digon,' medda fo.

Rhochian o dan ei gwynt ddaru Nain a dechrau symud am y drws. Mi neidiais inna fel sgwarnog i fyny'r grisiau rhag ofn iddyn nhw ddallt fy mod i wedi bod yn gwrando.

'Rydw i'n credu mewn dweud fy meddwl,' medda Nain fel y dois i lawr y grisiau.

Roeddwn i'n dal fy ngwynt rhag ofn iddi fynd yn sgarmes go iawn, yn enwedig gan fod golwg fel mul o benstiff ar Dad, a bod Mam yn rhythu'n stormus o'r gegin.

Ond penderfynu ar gadoediad ddaru nhw ac mi gychwynnon yn weddol ffrindiau!

Mi gyrhaeddon ni dŷ Nain tua hanner awr wedi dau. Roedd y bobl drws nesa wedi gwneud tanllwyth o dân, ac wedi bod yn rhoi'r blanced drydan ymlaen am oriau bob dydd ers dydd Iau. Mi es inna i lawr i'r siop i ddŵad â neges iddi. (Lwcus 'i bod hi'n agored ar ddydd Sul!) Ac am ei bod hi wedi gorfod dŵad adre a hithau wedi meddwl aros, ac am fy mod i wedi newid fy meddwl am Nain er ei bod hi'n andros o anodd ei thrin, mi brynais wy Pasg mawr iddi yn y siop, a gofyn i'r dyn ei lapio fo'n ddel hefyd er mwyn iddi gael syrpreis wedi inni fynd.

Roedd Dad a minna'n dawedog iawn ar ein ffordd adre. Dad am ei fod o'n meddwl am Nain, efalla, a finna am fod fy nhu mewn i'n corddi wrth ddychmygu Derec Wyn yn treulio penwythnos yng nghwmni Mandy Webb.

Mi agorais ddrws y tŷ ac anelu ar fy mhen am y lolfa i droi'r teledu ymlaen a boddi fy nhristwch yn y sgrin sgwâr Mi gefais sioc!

'D - Derec W - Wyn?' meddwn i'n syn wrth ei weld yn codi oddi ar y soffa. 'Be rwyt ti'n . . . ?'

'Disgwyl amdanat ti, tê?' medda fo.

Mae fy mywyd i'n fêl i gyd unwaith eto. Rhannu diddordebau hefo Mandy Webb roedd o, mi aeth ar ei lw, a'i gweld hi ar ei phen ei hun. Mae Derec Wyn a finnau'n ffrindia . . . yn gariadon. Mi gafodd swper hefo ni, ac mi'i danfonais o at arhosfa'r bws . . . ac mi ddanfonodd yntau fi'n ôl at ddrws y tŷ wedyn. Gwirion, ond *grêt*!

Dydd Llun, Ebrill 3ydd

Mynd i'r ysgol heddiw a dangos i bawb fod Derec Wyn a minnau'n ffrindiau eto.

'Sorry,' medda Mandy'n neis. 'I didn't mean to make trouble, you know. I have my own boyfriend, Jason. He's at private school.'

'That's all right,' meddwn i. Mi fedrwn i fforddio fod dipyn yn glên rŵan.

Ond mi roeddwn i'n gweld bai arni hi hefyd. Petasai Derec Wyn i ffwrdd fuaswn i ddim yn *sbïo* ar fachgen arall.

'Wedi cael socsan ma hi,' medda Siw. 'Wedi cael ei siomi. Meddwl y buasai hi'n cael *dau* gariad!'

Dydd Mawrth, Ebrill 4ydd

Rydw i'n ôl yn fy llofft. Bendigedig o fyd. Dad yn helpu yn y tŷ, Mam yn gwenu, Llŷr yn byhafio . . . wel, go lew, a Gwenno Jones yn ôl yn ei llofft. Rydw i wedi gwrando ar fy recordiau i gyd, wedi rhoi fy nhedi'n ôl ar y gobennydd, wedi rhoi fy nghosmetigs ar y bwrdd gwisgo . . . ac wedi *ailfeddiannu* popeth!

Dydd Mercher, Ebrill 5ed

Mae Mandy yn mynnu glynu wrth Derec Wyn a minnau . . . ac maen nhw'n siarad cyfrifaduron nes rydw i'n gandryll.

Dydd Iau, Ebrill 6ed

Run fath!

Dydd Gwener, Ebrill 7fed

Dydyn ni fawr hapusach yn ein tŷ ni chwaith. Er bod Nain wedi mynd. Mae Mam yn gorffwyso o'r funud y daw hi adre o'i gwaith, mae Dad yn felancolaidd ac yn sur . . . yn enwedig pan fydd rhaglen ar ddiweithdra ar y teledu. Mae Llŷr yn hogyn drwg ac yn cau ufuddhau, ac mi rydw i yn ystyried gadael cartre a mynd i fyw at Nain!

Dydd Sadwrn, Ebrill 8fed

'Ga i chwilio am joban i Dad yn y papurau?' meddwn i wrth Wil Siop Magi.

'Hrmph!' medda hwnnw'n guchiog ddigon. 'Yma i weithio rwyt ti, nid i ddarllan.'

'Mi wna i'r ddau, siŵr,' meddwn i.

'Gofala nad oes run cwsmer yn disgwyl, ta,' medda fo.

Ond welais i ddim ynddyn nhw. Digon o waith yn Saudi Arabia a lleoedd felly, ond dim byd i siwtio Dad.

Roeddwn i'n cyfarfod Derec Wyn am ddau, ac mi garlamais adre er mwyn cael newid a choluro chydig arnaf fy hun. Roeddwn i wedi benthyca colur llygaid gan Siw ddoe ac mi roeddwn i'n ffansïo fy ngweld fy hun yn cerdded y stryd ynddo fo. Roedd Mandy Webb hefo peth yn yr ysgol yn ystod yr wythnos, ac os oedd honno'n medru gwisgo peth, mi fedrwn innau hefyd.

Mi gefais fraw pan gyrhaeddais y tŷ. Roedd Mam yn ei chôt a Dad yn dŵad i lawr y grisiau â chês yn ei law.

'Nefi! Be sy?' meddwn i.

'Doctor wedi bod. Dy fam yn gorfod mynd i'r ysbyty.'

Roeddwn i wedi fy nharo'n fud. Rhywsut, er bod Mam yn disgwyl babi, doeddwn i ddim wedi meddwl y buasai dim byd mawr yn digwydd.

'Paid â sbïo mor hurt, Gwenno,' medda Mam. 'Mynd yno i orffwys rydw i. Pwysau'r gwaed yn dal yn uchel, ysti. Yn rhy uchel, medda'r doctor.'

'Aros yma nes y do i'n ôl,' medda Dad fel yr aeth y ddau allan trwy'r drws. 'A chadw llygaid ar Llŷr.'

'Wnaiff mam Garmon ddim gwneud?' meddwn i.

'Gwna di. Rydan ni'n mynd ddigon ar ei gofyn hi'n barod.'

'Ond . . . ,' meddwn i'n wantan jest fel y cychwynnodd y car, 'Beth am Derec Wy . . . ?'

Be wnawn i? FFÔNIO! Mi garlamais i'r tŷ a deialu'r rhif. Mi ganodd ac mi ganodd. Doedd dim ateb. Siw, ta.

'Ma hi newydd fynd, Gwenno. Biti. Oes negas?'

'Methu dŵad. Mam yn yr ysbyty.'

'Wel, *mae*'n ddrwg gen i glywad. Dim byd mawr, gobeithio?'

Mi eisteddais trwy'r pnawn â fy mhen yn fy mhlu. Beth feddyliai Derec Wyn? Fy mod i wedi newid fy meddwl? Ble gebyst oedd Dad? Oedd Mam yn ôl reit? Pam roedd o mor hir?

Mi ddaeth Llŷr i'r tŷ tua pump yn fwd ac yn faw i gyd. *Siwgr gwyn*! Roeddwn i wedi anghofio sbïo a oedd o'n ei fyhafio ei hun.

'Be fuost ti'n ei wneud?' meddwn i'n chwyrn. 'Yli'r golwg sy arnat ti.'

'Dringo,' medda fo'n ddidaro. 'Oes 'ma frechdan?'

'Dwyt ti'n meddwl am ddim ond dy fol,' meddwn i. 'Dos i molchi'r munud 'ma.'

'Na wna. Sgin ti ddim hawl i orchymyn.'

Wel, hefo Mam yn yr ysbyty, Dad heb ddŵad adra, Derec Wyn yn fy nisgwyl yn y dre a minnau'n sgrechian bron o rwystredigaeth a nerfau rhacs, doeddwn i ddim am dderbyn digywilydd-dra gan fymryn o frawd bach.

'*Molcha*,' sgyrnygais gan afael yn ei glust a rhoi pinsiad reit dda iddi.

'*Aw! Gwenno!* Mi ddeuda i wrth Dad,' medda fo'n gwynfanllyd.

'Waeth gen i'r snichyn digywilydd,' mi waeddais.

'BE DI'R TWRW 'MA?'

Roedd Dad wedi cyrraedd heb inni'i glywed o.

'Gwenno'n . . .'

'Llŷr yn . . .'

'Dydw i ddim eisio clywed run gair,' medda Dad.

'Ond Llŷ . . .'

'Gwe . . .'

'RUN GAIR!'

Mi dawelon ni yn dau yn bwdlyd.

'Gwenno, dos i dorri brechdanau. Samwn, neu beth bynnag sy 'na. Llŷr, dos i molchi'r baw 'na.'

'Cau gwneud roedd o,' meddwn i'n hunan-gyfiawn-haol. 'Cau ufuddhau.'

Ond doedd waeth imi siarad hefo'r wal ddim. Mi fuo'n rhaid imi baratoi'r brechdanau ar fy mhen fy hun, a phob tro yr agorwn i fy ngheg, roedd Dad yn neidio i lawr fy nghorn gwddf i. Dydi bywyd ddim yn deg. Nid arna i roedd y bai. Ond waeth imi heb â thrio egluro.

Tua saith o'r gloch dyma fi'n meddwl y buaswn i'n ffonio Derec Wyn i egluro'r sefyllfa.

'A be wyt ti'n 'i feddwl rwyt ti'n ei wneud?' gofynnodd Dad.

'Ffonio Derec Wyn, tê,' meddwn i.

'Dwyt ti ddim i gyffwrdd yn y ffôn 'na heno,' medda fo'n chwyrn. 'Ma'r biliau 'ma'n anhygoel. Ar y ffôn am

172

oriau hefo dy ffrindiau fel petasai poced rhywun yn ddi-
waelod hollol. Wel, dydw i ddim am 'i ddiodda fo, wyt ti'n
dallt? Ma'n rhaid i betha newid yn y tŷ 'ma.'

'Ond, Dad . . . Mi fydd Derec Wyn yn methu dallt lle
roeddwn i.'

'Gad iddo fo ffonio, ta.'

Mi redais i fyny'r grisiau a'm taflu fy hun ar y ngwely.
Blydi annheg! Rhieni. Doedd ots ganddyn nhw am neb
ond am y nhw eu hunain.

Mi ddisgwyliais ac mi ddisgwyliais i Derec Wyn ffonio.
Doeddwn i ddim am fynd i lawr i'r lolfa petasech chi'n
talu imi. Ddim wedi i Dad fod mor ofnadwy o annheg.

Mi ganodd y ffôn o'r diwedd ac mi garlamais i lawr y
grisiau. Roedd Dad yno o fy mlaen.

'Hylo! O . . . Siw. Dal y lein.'

A dyma fo'n estyn y ffôn imi. Wel, mi roedd fy ngwddf
i'n llawn o hunandosturi. Am mai Siw . . . ac nid Derec
Wyn oedd yna.

'Ydi dy fam yn well?' holodd Siw. 'Mam yn dweud dy
fod ti wedi ffonio.'

'Go lew,' meddwn i. 'Welaist ti Derec Wyn?'

Mi fu Siw yn ddistaw am eiliad.

'Do,' medda hi'n gynnil.

'Oedd o'n methu dallt ble'r oeddwn i?'

'Oedd.'

'WEL, BE DDIGWYDDODD?' Roeddwn i'n gweiddi
jest.

Mi fuo Siw yn ddistaw am eiliad arall.

'Wel . . . os wyt ti eisio gwybod . . . mi aeth hefo
Mandy Webb.'

'BE?'

'Digwydd dŵad i lawr y stryd ddaru hi, a ninnau'n
methu gwybod ble'r oeddet ti.'

'Be ddigwyddodd wedyn?'

'Mi aethon ni ein pedwar i siopio.'

Fedrwn i ddim siarad heibio i'r lwmp a oedd yn fy ngwddf.

'Wyt ti yna? . . . Gwenno?'

'I . . . ia?'

'Doedd 'na ddim byd fedrwn i 'i wneud, ysti.'

'Nac oedd debyg.'

Roeddwn i'n methu'n lân â chysgu wedi mynd i fy ngwely. Roeddwn i'n fy mhoeni fy hun wrth eu dychmygu nhw'n cerdded y stryd, yn eu dychmygu nhw'n rhannu'u diddordeb cyfrifiadurol uwchben coffi yn Wimpy . . . ac yn cerdded ochr yn ochr i lawr y stryd wedyn.

A ddaru Derec Wyn ddim ffonio!

Dydd Sul, Ebrill 9fed

Dydw i ddim yn siarad llawer hefo Dad. Ddim ond beth sy'n rhaid. Ond dydi o ddim wedi hyd yn oed *sylwi*!

Mi aethon ni i'r ysbyty i weld Mam y pnawn 'ma.

'Popeth yn iawn gartre?' medda hi.

'Ydi,' medda Dad.

'Wyt ti'n byhafio dy hun, Llŷr?' medda hi.

Ond dim ond nodio ddaru Llŷr. Doedd o ddim yn licio yn y ward. Doeddwn innau ddim chwaith, a dweud y gwir. Sbïo ar res o ferched a'u boliau nhw'n gasgenni o dan y dillad. Prun bynnag, doedd gen i ddim amynedd i ddim.

'Rwyt ti'n ddistaw iawn, Gwenno,' medda Mam eto. 'Ffoniaist ti Derec Wyn i egluro?'

'Naddo,' meddwn i'n foel.

Roeddwn i'n disgwyl y buasai Dad yn dweud mai y fo ddaru fy rhwystro i, ac y buasai Mam yn dweud y drefn wrtho am fod mor ddideimlad. Ond ddaru fo ddim.

Tipical, meddwn i wrthyf fy hun. Malio dim fod fy mywyd wedi'i ddifetha o'i achos o. Mi fuasai mam Garmon wedi gofalu am Llŷr yn iawn. Mae hi wedi

174

gwneud ganwaith, ac wrth ei bodd. Cwmpeini i Garmon, medda hi, a chadw hwnnw yn rhywle heblaw o dan ei thraed yn y tŷ.

'Rydw i am fynd i weld Nain amsar te,' meddwn i'n sydyn. (Siawns na chawn i rywfaint o gydymdeimlad ganddi *hi*!)

Mi edrychodd Mam a Dad ar ei gilydd am eiliad fel pe buasen nhw'n trio penderfynu'n ddistaw beth oedd orau'i wneud.

'Falla y buasa'n well i tithau fynd, Myrddin,' medda Mam. 'Egluro iddi.'

'Falla,' medda Dad yn reit benisel.

Mi godais a mynd at y ffenestr. Chawn i ddim cwyno wrth Nain rŵan. Yna mi ganodd y gloch ymweld. Roedd yn amser inni fynd.

'Gwna dy orau i helpu, Gwenno,' medda Mam yn ddistaw wrtha i fel y rhois i gusan iddi.

Dydw i'n gwneud dim arall, meddwn i wrthyf fy hun. Helpu, helpu, helpu. A hynny heb air o ddiolch. Mae gen i gydymdeimlad mawr â morynion bach.

Mi gyrhaeddon ni dŷ Nain tua hanner awr wedi pedwar.

'Hrmph!' medda Nain wedi inni fynd i mewn. 'Mi fuoch ddigon hir. Be cadwodd chi?'

'Menai yn yr ysbyty,' medda Dad. 'Dŵad yn syth oddi yno wnaethon ni.'

'Trio rhedag i bob man,' medda Nain. 'Diffyg trefn.'

Mi gododd yn sydyn.

'Mi bacia i fy mhetha.'

'Yyy?' medda Dad.

'Mi bacia i fy mhetha. Ma angen rhywun i gadw trefn tra bydd Menai yn yr ysbyty.'

'N . . . na wir. Dim angen. Newydd wella ydach chi,' medda Dad yn ffrwcslyd. 'Dydan ni ddim eisio ichi fynd yn sâl eto.'

175

'Twt lol,' medda Nain. 'Rydw i'n gwybod pan ma fy angan i.'

'Ond rydw i gartra . . .'

'Mi roith gyfla iti chwilio am joban,' medda hi'n sych. 'Ac mi gaiff Gwenno 'ma dalu mwy o sylw i'w gwaith ysgol.'

Mae Nain wedi ailfeddiannu fy llofft, mae Llŷr yn cysgu hefo Dad, ac mi rydw innau yn llofft bocs matsys Llŷr. Nain a drefnodd bopeth.

Dydd Llun, Ebrill 10fed

Roedd Nain ar ei thraed pan godais i.

'Rargol!' meddwn i wrth gerdded i mewn i'r gegin. 'Bacwn?'

'Ia,' medda Nain. 'Ma eisio stumog lawn ben bora.'

'Ond fydda i byth yn bwyta dim byd ond tost. Sgin i ddim amsar.'

'Rhaid iti godi yn gynt, yn bydd?' medda Nain gan ddodi plât llwythog o fy mlaen i.

'Ond bacwn wedi'i *ffrio* ydi o,' dolefais. 'Grilio fo fydd Mam.'

'Twt lol,' medda Nain yn gry. 'Ddaru tipyn o saim ddim drwg i neb.'

Mi gyrhaeddodd Dad a Llŷr.

'A gobeithio dy fod titha wedi siafio'r bora 'ma,' medda hi gan lygadu wyneb Dad. 'Rhaid cadw safona.'

Mi eisteddodd Dad fel hogyn bach.

Diolch fy mod i'n cychwyn am yr ysgol, meddyliais wrthyf fy hun. Mi aiff yn sgarmes yma cyn inni droi, a dydw i ddim eisio bod yng nghanol y ffrwydrad.

'Sut ma dy fam?' gofynnodd Siw pan ddringais ar y bws.

'Run fath,' meddwn i. 'Ma Nain acw.'

'Be? Ydi hi rioed yn sâl eto?'

'Ma hi fel cyw iâr undydd. Prysur, ac wrth ei bodd. Wyddost ti be ges i i frecwast?'

'Be?'

'Bacwn wedi'i ffrio!'

Mi sgrechiodd Siw.

'Rioed!'

'Ffaith iti. A ma hi wedi dweud wrth Dad am siafio.'

Ond doedd fy nghalon i ddim yn y cellwair hefo Siw. Ddim â minnau yn meddwl am Derec Wyn ac yn methu â gwybod sut roeddwn i am ei wynebu na beth ddywedwn i wrtho fo chwaith. Y fo aeth hefo Mandy Webb, a fo ddaru beidio â ffonio, tê?

Roedd o yn yr iard pan gyrhaeddodd y bws.

'Ble buost ti pnawn Sadwrn?' medda fo cyn gynted ag y gwelodd o fi. 'Pam na fuaset ti'n ffonio?'

'Pam na fuaset ti?' meddwn i.

'Mi driais i pnawn ddoe. Dim atab.'

'Mi driais inna pnawn Sadwrn hefyd.'

'Ond beth *oedd*?'

'Mam yn mynd i'r ysbyty. Fedrwn i ddim dŵad. Gwarchod Llŷr.'

'Wnest ti ddim ffonio gyda'r nos chwaith.'

'Na chditha.'

Roedden ni wedi dechrau rhythu ar ein gilydd ac ar fin ffraeo o ddifri.

'O . . . rhowch gaead arni eich dau,' hisiodd Siw. 'Ma pawb yn sbïo arnoch chi.'

'Dim ots gen i,' cychwynnais.

Yna mi welais wyneb Gwen. Roedd o'n llawn busnes ac yn wên o glust i glust. Ac mi'i gwelodd Derec Wyn o run pryd. Mi afaelodd yn fy mraich a cherdded hefo mi ar hyd y coridor.

'Dydw i ddim eisio ffraeo,' medda fo.

'Na finna chwaith,' meddwn i. 'Wir, mi ddaru mi drio ffonio.'

Yna dyma fi'n cofio am Mandy ac yn mynd yn an-ystwyth drostaf.

'Mi est ti hefo Mandy,' fe'i cyhuddais.

'Digwydd dŵad ddaru hi. Ddim hefo hi yn unig. Ein pedwar.'

Roedden ni wedi aros ar y coridor i ddadlau. Yna dyma ni ein dau yn sylweddoli fod criw o'n cwmpas ni eto a phawb yn eu mwynhau eu hunain wrth wrando.

'O, blydi hell!' medda Derec Wyn.

'Wyt ti'n siŵr nad wyt ti ddim yn 'i licio hi?' meddwn i.

'Licio hi, ydw. Ffansïo hi, na,' medda fo yn fy nghlust. 'Cadw le imi amser cinio.'

Ac i ffwrdd â fo am ei ddosbarth.

'Ma ambell i stori gystal ag ar y teledu yn yr ysgol 'ma,' medda Gwen yn slei. 'On'd ydyn, Gwawr?'

Ond mi fedrwn i wenu'n glên arni wrth gofio geiriau olaf Derec Wyn.

Dydd Mawrth, Ebrill 11eg

Mae Nain wedi cael bywyd newydd. Mae hi'n gorchymyn a newid a throi pobman â'i din am ei ben. Wn i ddim beth ddywed Mam pan ddaw hi adre.

Dydd Mercher, Ebrill 12fed

Haleliwia! Mae Mandy Webb yn gadael! Ei thad wedi gorffen ei waith tua'r cwmni, medda hi, ac yn symud i rywle arall.

'I'll be sorry to leave, Gwenno,' medda hi'n glên. 'But I'm looking forward to seeing Jason at Easter. I'll miss you all.'

Gwynt teg ar ei hôl hi!

Dydd Iau, Ebrill 13eg

Dew! Mi rydan ni'n cael bwyd henffasiwn yn ein tŷ ni. Pwdin reis a prŵns! Ych!

Dydd Gwener, Ebrill 14eg

Roedd golwg wedi blino braidd ar Nain pan ddois i adre
o'r ysgol heddiw.

'Steddwch, Nain,' meddwn i. 'Mi wna i banad.'

'Ia, rydw i wedi blino dipyn bach,' medda hi.

Wel, mi roeddwn i'n gweld golwg reit luddedig arni hi,
ac er bod gen i lond gwlad o waith cartref . . . Wati Welsh
wedi colli arno'i hun yn lân am nad oedd neb yn talu
llawer o sylw yn y dosbarth, ac wedi rhoi dwbl y gwaith
. . . mi ddeudais y buaswn i'n plicio tatws a rhoi'r cinio ar
dro.

'Diolch, Gwenno,' medda hi'n hynod o feddal. 'Rwyt
ti'n hogan reit dda. Dydw inna ddim llawn mor tebol ag
yr oeddwn i'n ei feddwl, ysti.'

Mi ddechreuais boeni o ddifri. Roedd eisio rhywbeth
mawr i Nain gyfadda'i gwendid a hithau wrth ei bodd yn
gawres y tŷ.

'Dach chi ddim yn *sâl*?'

'Rhen ochr 'ma'n anghyffyrddus braidd.'

'Gymrwch chi dabledi? Paracetamol? Mi a i i'w nôl
rŵan.'

Mi ddaeth Llŷr i'r tŷ â'i feddwl ar ei fol fel arfer.

'Bisgedi? Ble ma'n nhw, Gwenno?'

'Yli, rwyt ti'n gwybod yn iawn ble ma'n nhw. Cymra rai
a chau dy geg.'

'Ddim chdi ydi'r bos. Ble ma Nain?'

'Ma Nain wedi blino . . . ac mi rydw inna wedi blino
tendio arnat titha hefyd. Yli'r golwg ar y llawr 'ma?'

Mi redais i nôl y cadach llawr a sychu'n wyllt.

'Rydw i wedi cael digon arnoch chi i gyd yn y tŷ 'ma.
Gwenno, Gwenno, Gwenno o hyd.'

Mi fedrwn deimlo'r dagrau yn ymwthio'u ffordd o'm
llygaid.

'Llnau'r llawr rŵan eto,' meddwn i'n ddagreuol.

179

'Sori, Gwenno,' medda fo'n sydyn a rhoi ei freichiau amdana i. 'Wna i ddim eto. Wir yr ... Pa bryd ma Mam yn dŵad adra?'

Mi fedr Llŷr fod yn rêl angel pan licith o, ac mae o'n gwybod yn iawn sut i'w droi ei hun rownd bys bach rhywun.

'O, dos o'ma,' meddwn i gan ochneidio a gwenu run pryd.

'Ia, ond dydw i ddim yn licio prŵns Nain,' medda fo.

'Ssh! Dydw inna chwaith,' meddwn i. 'Gwylia iddi hi dy glywad di.'

Mi aeth Nain i'w gwely'n fuan ac mi olchais innau'r llestri a gosod y bwrdd brecwast. Ddaru Dad ddim llawer o ddim byd heblaw gofalu fod Llŷr wedi molchi cyn mynd i'w wely. Mi fydd yn rhaid imi gael sgwrs hefo fo ynghylch rhannu gorchwylion di-ben-draw y tŷ 'ma.

O ia, mi anghofiais i. Mi ffarwelion ni â Mandy Webb heddiw!

Dydd Sadwrn, Ebrill 15fed

Roedd amlen swyddogol yr olwg arni ar y mat o flaen drws y ffrynt pan ddringais i lawr y grisiau. Enw Dad arno fo.

'Llythyr ichi, Dad,' meddwn i wedi cyrraedd y gegin.

'O ... chlywais i mo'r postmon,' medda fo'n reit ddidaro.

Roedd o yn llewys ei grys ac yn berwi'r tecell a chrasu'r tost. Roeddwn i wedi dweud wrtho fo ... ac wrth Nain ... nad oedd hi i godi i frecwast heddiw. A syrpreis, syrpreis! Roedden nhw wedi gwrando arna i heb rwgnach bron.

'Dos â hwn i dy Nain,' medda fo cyn gafael yn y llythyr.

Roeddwn i ar fin troi am y lobi pan roes o ryw rochiad rhyfedd o dan ei wynt ac mi aeth ei wyneb o'n goch goch.

'Ew! Be sy?' meddwn i gan feddwl yn siŵr fod newydd drwg wedi cyrraedd y tŷ.

'Gwaith,' medda fo. 'Wedi cael swydd.'

A dyma fo'n eistedd i lawr wrth y bwrdd ac yn llygadu'r llythyr fel pe buasai fo am ei fwyta.

'Wir?' meddwn i a sodro'r hambwrdd yn ei ôl er mwyn imi gael darllen y llythyr tros ei ysgwydd.

'Ond ddeudsoch chi ddim eich bod wedi trio, na sôn am gyfweliad.'

'Rydw i wedi trio am gymaint,' medda fo. 'Rhaid imi ffonio'r ysbyty.'

'Ew! Gewch chi groeso gan y Sister?' meddwn i. 'Chitha'n ffonio mor fora?'

'Dim ots. Rhaid i dy fam gael gwybod.'

Mi gipiais yr hambwrdd a charlamu i'r llofft.

'Dad wedi cael joban,' meddwn i wrth Nain. 'Peidiwch chitha â chodi'n rhy fuan. Mae'n ras arna i am Wil Siop Magi.'

A phrin y cafodd Nain ofyn am ei dannedd gosod nad oeddwn i'n carlamu i lawr yn fy ôl. Mi lyncais sleisen o dost a thaflu llymaid o goffi i gyfeiriad fy ngheg a'i gwadnu hi am Wil Siop Magi.

'Cael a chael,' medda hwnnw'n reit sych.

'Dad wedi cael joban,' meddwn i. 'Nain . . . blino . . . brecwast yn ei gwely.'

'Mi fyddi di'n rhoi gora iddi felly,' medda fo.

'Pam?' gofynnais yn hurt.

'Dydi dy Nain ddim digon tebol, yn nac ydi, a hefo dy dad wedi cael joban . . .?'

Siwgr gwyn! meddwn i wrthyf fy hun. Mae problemau'r byd 'ma'n pentyrru ar fy mhen i.

Roedd Dad ar gychwyn am yr ysbyty pan gyrhaeddais adre.

'Rydw i wedi dweud wrth dy Nain am fynd i'w gwely y pnawn 'ma,' medda fo. 'Aros hefo hi, wnei di, Gwenno?'

'Ond rydw i'n cyfarf . . .'

Mi aeth yn ei flaen fel petaswn i heb ddweud gair.

'Wn i ddim pam y mynnodd hi ddŵad yma wir, a ninna'n iawn fel roedden ni. Rhaid iddi gofio'i hoed.'

'Meddwl ei bod hi'n helpu roedd hi,' meddwn i, am amddiffyn Nain i'r carn.

'Mwy o drafferth na dim arall,' grwgnachodd eto. 'Ac os bydd dy fam yn yr ysbyty am wsnosau . . .'

'Wsnosau?' Dyna'r funud gyntaf imi glywed sôn am y ffasiwn beth.

'Ia.'

Wel, am smonach, meddwn i wrthyf fy hun. Nain yn ei lladd ei hun wrth drio rhedeg tŷ a theulu, Mam yn yr ysbyty, Dad wedi cael gwaith, Llŷr yn malio dim ond pan mae o'n gorfod bwyta prŵns, a Gwenno Jones yng nghanol ei thrafferthion!

'*Derec Wyn*!' Roedd fy llais i'n sgrech bron.

Oeddwn i am ei ddal cyn iddo gychwyn am y dre? Mi afaelais yn y ffôn.

'Ddoi di yma? Rhaid imi aros nes daw Dad adra.'

'Mi ddo i hefo'r bws chwartar wedi dau.'

Mi rois i fy mhen heibio i'r drws i weld sut roedd Nain. Doedd dim angen imi boeni. Roedd hi'n gorwedd ar wastad ei chefn, wedi tynnu'i dannedd gosod ac yn chwyrnu fel seiren llong.

'Grêt,' meddwn i wrthyf fy hun. 'Efalla y cysgith hi nes y daw Dad adra. (Chwech o'r gloch o leia!)

'Hei, Gwenno,' medda Llŷr gan ei hyrddio ei hun drwy ddrws y gegin. 'Ma mam Garmon yn mynd â ni i'r pwll nofio. Fydda i ddim yn ôl tan yn hwyr.'

'Ma grêt yn troi'n ardderchog,' meddwn i wrthyf fy hun.

Mi safais â fy nhrwyn ar wydr y ffenestr rhag ofn i Derec Wyn ganu'r gloch a deffro Nain. Mi fedrwn i fy nychmygu fy hun yn agor y drws iddo fo, ac yntau yn gwenu'n glên ac yn estyn wy Pasg imi. Mi fedrwn i'i weld o'n camu i mewn ac yn rhoi andros o gusan werth chweil

182

imi . . . un ddigon da i wneud imi anghofio am ffraeo, ac am Mandy Webb a phopeth arall. Cusan go iawn fel un o'r rheiny a welais i ar y teledu. Mi fydden ni'n eistedd ar y soffa, ac mi fuasai ei fraich yn dynn amdana i; mi fydden ni'n gwylio'r teledu ac yn cusanu bob yn ail . . . ac mi fydden ni'n cael pnawn hapus preifat hefo'n gilydd.

Roeddwn i yng nghanol breuddwyd ardderchog ac mi fu bron imi â cholli'i weld o ymhen draw'r stryd. Mi ruthrais am y drws.

'Hiya, Gwenno!' medda fo ac estyn bag papur brown imi. 'Presant.'

'Hiya!' meddwn inna'n wên i gyd. 'Tyrd i mewn.'

'Ble ma pawb?' gofynnodd.

'Ssh!' mi atebais. 'Ma Nain yn ei gwely a Dad yn yr ysbyty, a Llŷr wedi mynd i nofio. Dim ond y chdi a fi sy 'ma.'

'Grrr!' medda Derec Wyn gan sgyrnygu'i ddannedd a pharatoi i fy mwyta i. 'Tyrd yma.'

A dyma fo'n ymaflyd yna i ac yn rhoi clamp o gusan imi yn y fan a'r lle.

Mae fy mywyd i'n nefoedd fendigedig euraidd ac yn fêl i gyd, ac mae gynnon ni bnawn i ni ein hunain. Mi droeson am y lolfa.

'Pwy sy 'na, Gwenno?' medda llais o'r grisiau.

Nain!

Rydw i'n cloi'r dyddiadur 'ma ar fy siomiant. Efallai, a dim ond efallai, y gwna i sgrifennu fory. Os y bydda i wedi dŵad ataf fy hun!

183